la
fille laide

DU MÊME AUTEUR

Contes pour un homme seul (1944), *La Fille laide* (1950), *Les Vendeurs du Temple* (1951), *Le Dompteur d'ours* (1951), *Aaron* (1954), *Agaguk* (1958), *Roi de la Côte Nord* (1960), *Ashini* (1960), *Cul-de-sac* (1961), *Amour au goût de mer* (1961), *Le Vendeur d'étoiles et autres contes* (1961), *Les Commettants de Caridad* (1961), *Séjour à Moscou* (1961), *Si la bombe m'était contée* (1962), *Le Grand Roman d'un petit homme* (1963), *Le Ru d'Ikoué* (1963), *La Rose de pierre, histoires d'amour* (1964), *Les Temps du carcajou* (1965), *L'Appelante* (1967), *Le Marcheur* (1968), *La Mort d'eau* (1968), *Mahigan* (1968), *Kesten* (1968), *L'Île introuvable* (1968), *N'Tsuk* (1968), *Valérie* (1969), *Antoine et sa montagne* (1969), *Tayaout, fils d'Agaguk* (1969), *Frédange et les Terres neuves* (1970), *Le Dernier Havre* (1970), *La Passe-au-Crachin* (1972), *Le Haut-pays* (1973), *Agoak, l'héritage d'Agaguk* (1975), *Oeuvre de chair* (1976), *Moi, Pierre Huneau* (1976).

yves thériault

la
fille laide

roman

Quinze/présence

Couverture : d'après une maquette de Michel Bérard
Dessin : Gité

LES QUINZE, ÉDITEUR
(Division de Sogides Ltée)
955, rue Amherst, Montréal
H2L 3K4
tél. : (514) 523-1182

Distributeur exclusif pour le Canada :
AGENCE DE DISTRIBUTION POPULAIRE INC.
(Filiale de Sogides Ltée)
955, rue Amherst, Montréal
H2L 3K4
tél. : (514) 523-1182

Publié pour la première fois en 1950
Copyright 1980, Les Quinze, éditeur
Dépôt légal, 3e trimestre 1980
Bibliothèque nationale du Québec

ISBN 2-89026-255-3

I

VINCENT GRAVIT le sentier pierreux qui menait à la ferme de la Bernadette Loubron.

Vincent, que l'on avait surnommé, dans le hameau, Vincent-la-grosse-tête. Vincent qui avait petite mémoire et les yeux hagards, qui marchait souvent en faisant de grands gestes des bras, et en saluant les fleurs du fossé et l'orge des champs. Vincent, donc, qui avait comme un trou vide au milieu de la tête, à ce que l'on disait, et qui voulait ce matin-là, un cheval.

Il se le disait en marchant.

Les mots en murmure, un ronronnement constant, avec les gestes, et toujours les saluts, et de grandes aspirations de l'air pur et brillant du beau jour.

— J'aurai un cheval, une bête à moi, un beau cheval au poil luisant. Il tirera ma voiture. Parfois je monterai dessus ... et nous irons au grand trot ... Et avec quoi l'acheter, ce cheval? Je n'ai rien. Une mauvaise cabane, ma chemise trouée, et un pantalon plein de grands accrocs où l'on voit la peau ... Avec quoi l'acheter? Mais la Bernadette me donnera, c'est probable, son bai qui est devenu aveugle à force d'âge ... Voilà la façon. (Bonjour la fleur rouge, tu es belle!) Il faut savoir comment obtenir les choses qui nous plaisent ...

Il était grand, le Vincent. Long comme un pin sans branches, avec dessus le grand corps maigre une tête ronde comme une boule, qui dodelinait au rythme de la marche, les yeux hagards et la bouche ouverte et ballante qui allait au mouvement des mots murmurés.

Et quand il fut à la ferme, il vit Bernadette Loubron qui était dans le jardin, à repiquer les plants de tomates.

— Femme Loubron! cria Vincent...

Bernadette releva la tête, vit que c'était Vincent, et se redressa complètement dans le grand soleil cru du matin.

Ainsi debout dans les plantes neuves et la terre brune, la Bernadette était femme belle à voir.

Forte de hanches, très grande, la poitrine riche, les cheveux blonds relevés en un chignon qui était une pomme d'or sur la nuque.

Elle avait les lèvres rouges, et un sourire large aussi. Son visage coloré, ses bras nus dont la peau luisait dans le blond soleil, cela était l'appel du corps à la joie.

Elle s'avança de son pas roulant, ce qui d'ordinaire faisait naître de drôles de lueurs dans les yeux des hommes du hameau, quand ils la voyaient venir sur le chemin.

Dans ce matin-là, et devant Vincent, ses quarante ans en paraissaient trente.

Trente belles années propices.

— Vincent? dit-elle. Te voilà? Et pourquoi?

Car l'homme n'allait pas souvent aux maisons du hameau, à moins que ce ne fût pour de grandes raisons que lui seul, plus souvent, pouvait comprendre.

8

— Je viens pour un cheval, dit-il, votre bai qui est aveugle. Je viens parce qu'en mon cœur, ce qui est là, c'est le désir d'un cheval. Donc je viens pour ça, espérant que vous comprendrez et que vous me donnerez le cheval.

La Bernadette eut un rire clair.

— Tu veux un cheval, Vincent? Pour quoi faire?

Il fit un geste, montra l'évidence, et répondit simplement:

— Pour l'aimer.

Bernadette baissa la tête devant le regard de Vincent.

Pour l'aimer, dame! Y avait-il une autre raison pour que Vincent eût un cheval, sinon pour l'aimer? Comme il aimait les fleurs et les fruits de Dieu. Comme il aimait tout le beau, tout ce qui était là, créature et plante, et chose de nature.

— Je comprends, dit Bernadette. Je comprends. Je n'aurais pas dû le demander. Et tu voudrais que je te donne mon bai?

Vincent eut un sourire, et il tapa son pied dans le sol, et il se claqua la paume sur la cuisse.

— Femme Bernadette, vous avez bien dit vos mots. Me donner le bai! J'avais crainte qu'il ne se parle d'achat et de vente. Où prendre les sous pour acheter le bai, ou un autre cheval? Pour acheter le cheval que je veux?

Elle vint à lui, et lui prit le bras.

— Je suis bonne fille, dit-elle, et je t'aime bien, Vincent, parce que ta vie est belle. Toute simple et belle . . . Je t'aime bien. Tu auras le cheval. Va dans l'étable et prends-le. Soigne-le bien. Il a été bonne bête au long de sa vie et il te mérite bien . . .

9

Vincent se passa la main sur la tête chauve.

Puis sur les yeux.

Puis dans le visage.

Il eut un geste du bras, l'arrêta.

Un autre geste, qu'il arrêta encore.

Puis il prit la Bernadette, à pleines mains, et sur la bouche humide, il colla ses lèvres, longuement.

Quand il la lâcha, la Bernadette trébucha un peu en arrière, et il dut la retenir pour ne point qu'elle tombe.

— Voilà ma récompense et mon merci, dit-il. C'est le seul que je connaisse. Tu es sans homme depuis un an, depuis que ton mari Pascal est mort. Alors je fais un geste qui te manque, sans doute. C'est ma façon. Si elle n'est pas bonne, dis-le-moi.

La Bernadette ne répondit pas.

Elle haletait, la tête basse, et sa poitrine allait à grands coups dans le soleil fauve.

Vincent ne comprit pas que c'était la joie de l'homme, et le cœur de la Bernadette qui faisait ceci, alors il se mit à parler, vite, comme pour réparer ce qu'il croyait avoir été une erreur.

— Voilà, disait-il, voilà. J'ai idée qu'il faut. Rapport à ce merci que je te dois et que je ne sais pas dire, il semble. Il y a deux jours, j'allais dans les sentiers et les routes qui mènent à la plaine, et j'ai rencontré une errante. Une fille. Une fille sans beauté, mince, mais vaillante et de bon commerce. Elle a dit se nommer Edith, et avoir faim. Elle vient de la plaine, où elle fut battue par les siens. A cause qu'elle est laide, je dirais. Donc je l'ai menée à ma cabane, et elle est là depuis deux jours. Je couche sur le pas de la porte...

10

La Bernadette avait relevé la tête.

Et quand Vincent dit les mots pour la nuit passée au pas de la porte, elle éclata de rire.

— Ne ris pas, la femme. La fille a dit qu'elle était vertueuse.

— C'est ce qu'elle dit?

— Oui. Alors je l'ai crue, moi, et j'ai couché où je te dis... La voudrais-tu pour le travail? Au hameau on dit que tu cherches une fille justement pour ça? Ce serait le service à te rendre et payer pour le cheval bai...

— Pour le travail! Elle est mince et laide!

— Maigre.

— Comment pourrait-elle accomplir la besogne...

— Elle est forte. Ça se voit dans son geste et sa façon de marcher. Elle est maigre, mais forte.

— Avec elle, et un homme pour les travaux des champs, un qui remplacerait le Justin parti et le Pascal mort, je pourrais vivre la bonne vie...

Bernadette était songeuse...

— C'est fait, dit-elle tout à coup. Prends le bai, et va-t'en, puis envoie-moi cette fille... Comment dis-tu qu'elle se nomme?

— Edith.

— Dis-lui qu'elle vienne. J'aurai du travail pour elle. Elle aura des sous chaque mois, une bonne chambre, du bouilli à se gaver et les soirs libres, si elle sait bien prendre la besogne et la terminer à temps...

— Alors, soit, je lui dirai. Et si vous voulez un homme de travaux, il y a le Fabien, qui est revenu du chef-lieu et qui n'a pas de gain décidé pour l'été à venir. Il pourrait probablement prendre les champs, le troupeau et la grange en soin ... Je dis ça, c'est à votre goût.

— Et c'est bien dit, Vincent. Grand merci!

— Grand merci pour le cheval, Bernadette ...

Il se fit un remous dans le visage de la femme, elle partit pour dire: « Grand merci pour le baiser! », mais elle se souvint que Vincent était Vincent, et que c'était piètre amant en ce hameau où l'on dédaignait l'homme à la grosse tête. Alors, de peur un peu qu'il ne la prenne dans le grand soleil du matin, elle ne dit rien.

— J'attends ton Edith, dit-elle, et demain, j'irai quérir Fabien au hameau. Je le connais, c'est un bon homme.

Le lendemain même, Edith vint frapper à la porte de la maison Loubron.

Et la femme, la Bernadette, est venue ouvrir.

— Salut! dit Edith, je viens pour le travail.

Elle se tenait droite, dans l'embrasure, sa jupe de coton collée contre les cuisses maigres et le corsage échancré qui découvrait trop la poitrine flasque, tombante, à la peau jaunâtre.

— Vincent t'envoie? demanda Bernadette.

— Oui.

— D'où viens-tu?

— De la plaine, en bas. J'ai vu les pentes et je me suis dit que d'y grimper serait peut-être le soulagement au mal.

— Quel mal?

— La vie. La vie en bas. La vie semblable à elle-même, de jour en jour sans espoir. Changer de ciel.

— Alors tu es venue à la montagne?

— Oui. Pour recommencer. Vincent, c'est lui qui m'a dit pour le travail ici. Il a dit que vous cherchiez des bras pour remplacer votre homme qui est mort. Ce serait un engagé. Et que vous vouliez pour la cuisine une fille solide . . .

La Bernadette avait longuement examiné cette fille mince, décharnée, laide de corps et de visage, qui se tenait devant elle.

— Solide? répondit-elle finalement. Solide?

Edith leva son bras et montra la peau et l'os sans chair.

— On ne juge pas de la force de l'arbre par la grosseur du tronc. Je connais des chênes qui se sont brisés sous l'appui du vent, et des saules minces qui ont résisté, eux . . .

— On dit ça, approuva Bernadette.

— Je suis forte, et vaillante . . . Et puis, sans essayer on ne sait pas. Il faudrait me placer devant le travail et voir ce qui est à voir. Ma force et ma volonté, et ma façon . . .

Bernadette fit entrer la fille.

— Alors c'est ainsi, donc. Je te donne la semaine pour montrer ta vaillance. Tu coucheras dans cette chambre au fond, et tu verras à la cuisine et au frottage. Je te dirai ce qui est à faire.

— Grand merci, bonne dame.

Et ce fut ainsi qu'Edith entra dans la maison de la Bernadette Loubron.

La semaine passa, une autre ensuite, sans que Bernadette eût à se plaindre de la fille maigre.

Active et vaillante, Edith faisait le travail, y mettant de la conscience et du savoir.

13

L'âtre était propre et les marmites frottées.

Le plancher de terre battue était balayé tous les matins, et les murs lavés chaque samedi.

Silencieuse, sombre parfois, la fille sans sourire travaillait à journées pleines, se couchant le travail fait, et pas avant.

Un jour, Bernadette lui demanda:

— Chez toi, à la plaine, que faisais-tu?

Edith était assise à la table, préparant des légumes pour le bouillon gras du dimanche.

— Ce que je faisais à la plaine était semblable à ce que je fais ici, et à ce que je ferai toujours. J'étais liée à un âtre . . .

— C'est un regret?

— Non.

Bernadette vint s'asseoir en face de la servante.

— Je dis ça, fit-elle doucement, surtout pour mieux savoir. Je te vois, je t'entends, mais je ne sais pas ce qui est en ton âme. Avant, que pensais-tu, que faisais-tu? Pourquoi es-tu à la montagne?

— Je fuyais.

— Tu fuyais un mal, m'as-tu dit le jour de ton arrivée . . . Tu fuyais la vie en bas . . .?

— Je suis laide.

— Et puis?

— Je suis laide. En me voyant, on ne songe pas à la beauté, mais à la laideur . . .

Bernadette Loubron haussa les épaules.

— Soit, disons que tu es laide. Toi, tu te trouves laide.

— Oui.

— Soit. Je te le dis, c'est ton goût. Mais la laideur et la vie, ça n'est pas la même chose.

La fille pencha la tête et resta longtemps ainsi, les yeux fixés sur la table de gros bois.

— La laideur et la vie, dit-elle tout à coup, c'est bien uni et bien lié. Ainsi pour moi qui suis laide, que faire à la plaine? Aux fêtes du village je regardais. Je buvais des yeux la joie et la danse, mais je ne dansais pas... Oh, si, je dansais avec mon père... avec des cousins qui ne pouvaient faire autrement... Mais les garçons, les vrais, ceux qui auraient mis leurs bras autour de ma taille, ceux qui m'auraient emportée dans le tourbillon, ceux qui m'auraient entraînée derrière les buissons, et dans le foin tiède, ceux-là ne me regardaient pas...

— Tu aurais voulu des beaux gars?

La fille fut violente.

— Et pourquoi pas? Je suis faite de chair, comme d'autres? J'ai l'âge! J'aurais aimé l'amour, le baiser, la caresse, comme les autres filles... Mais j'étais toujours seule...

Bernadette secoua la tête...

— Tu aurais fait une bonne femme à un homme...

— Est-ce qu'ils songent à ça en voyant une femme? Ils songent au plaisir, à la joie du corps, à pouvoir la mener vers un vallon sombre, près d'une source. Ils songent à leurs mains, et aux gestes des mains, et ils veulent enlacer... serrer... Alors vous croyez qu'ils songent aux autres qualités, qu'ils songent à moi qui pourrais faire la bonne cuisine et tenir propres mes bahuts?

Elle releva brusquement ses cheveux lisses qui retombaient de chaque côté du visage, puis elle dit en mordant dans le son des mots:

15

— Et pourtant, femme Loubron, si l'un d'eux avait voulu de moi, si l'un d'eux m'avait attirée vers le buisson, celui-là aurait su tout ce que je réserve à un homme ... Comme une soif qui n'est jamais étanchée, quand l'eau claire de la source est devant, invitante, attirante ... Oh, celui-là qui m'aurait prise ... qui me prendrait ...

Bernadette rit doucement ...

— Il ne le regrettera pas?

Mais Edith se tut. Et elle se remit à travailler.

Longtemps Bernadette regarda cette fille malingre et chétive.

Il y avait de la pitié dans le regard de la belle Bernadette. Elle avait été bien partagée par le Dieu de la beauté, qui met sur les os et le muscle de la femme justement assez de chair ici, assez de chair là, pour que la femme soit bonne et grasse, et dodue, à prendre à mains pleines, le sein comme un gros fruit mûr et juteux, la hanche grasse et la cuisse bien musclée.

L'âge n'avait rien enlevé de cette beauté de la montagne, de cette chair et de cette peau.

Et le regard de la femme avait de la pitié pour le corps sec de la fille Edith.

— Quel âge as-tu, Edith?

— Trente ans.

— Et tu n'as jamais eu d'amoureux?

— Un jour, un des garçons engagés chez le maire est venu à la maison, et il m'a embrassée. Mais il était bossu et laid. Personne n'en voulait dans notre pays. J'aurais été la seule. Il est parti et je ne l'ai jamais revu.

— Et ensuite, il y en eut d'autres?

— Non. Depuis dix ans, personne.

— Et ici, à la montagne?

Edith eut soudain comme un sanglot dans la gorge.

— Je craindrais de sortir, d'aller en votre hameau. J'étais venue ici croyant que les gars de la montagne, fatigués des femmes grasses de vos parages, verraient chez moi l'attrait du nouveau, du peu connu. Mais j'ai peur de sortir, de me montrer, j'ai peur d'aller au hameau . . .

— Tu as peur? Et pourquoi?

Edith se leva, et vint devant Bernadette.

D'une voix sourde et contenue elle lui dit:

— Si j'y vais, et s'ils se mettent à rire! S'ils me dédaignent au lieu de vouloir m'aimer, savez-vous ce que je ferai?

— Non.

— Je me jetterai du haut d'un pic, je me noierai dans le ruisseau de la Gueuse, je me tuerai . . .

Puis elle se retourna d'un mouvement brusque et revint s'asseoir à la table.

— Comme ça, tout sera fini . . . tout sera complet. J'aurai fait ma mauvaise vie de laideur, et je mourrai. Tous en seront bien aises.

Bernadette sortit et s'en fut au hameau.

II

Le soir, quand Bernadette revint à la maison, elle n'était pas seule.

Edith entendit les pas qui venaient sur le chemin dur, et elle devina qu'ils étaient deux pour les faire. Bernadette — celle-là, elle lui reconnaissait la démarche bien talonnée — et un autre: un homme, à juger par le son.

Edith se tint debout près de l'âtre, attendant que la porte s'ouvre.

Quand Bernadette entra, Edith vit qu'elle était avec un homme jeune encore, qui la suivait en portant sur son épaule le ballot grossier de ses hardes.

— Edith! dit Bernadette, viens ici . . . Je ramène un homme du hameau. Un homme pour le travail de la terre, les labours, le soin des animaux, la besogne rude. Il se nomme Fabien. De ce jour il fera ce que je fais depuis un mois.

Le nouveau venu leva les yeux, mêla son regard un moment à celui d'Edith, et dit d'une voix chaude qui coula dans la longue cuisine basse, qui vint partout dans les recoins, qui était intime à l'oreille sans que pourtant l'homme s'approchât.

— Bonsoir, Edith.

Il tendait sa main libre et la fille prit la main de l'homme, et sentit la peau contre sa peau, la peau rugueuse mais chaude.

— Bonsoir, dit-elle, et elle garda son regard dans celui de Fabien.

— Il va manger, dit Bernadette, et moi aussi. Nous avons tous deux une grande faim. Mets la soupe sur la table.

Edith s'affaira, mais elle était cruellement consciente de cet homme sur le banc de bois près de la porte.

Il était grand, aussi grand et même plus qu'Edith. Il avait des mains larges et puissantes, et les muscles de ses bras, que la vareuse trouée montrait, étaient puissants comme les mains larges. Il était grand, et ses cheveux d'un blond sombre étaient frisés.

Il se tenait, calme, sur le banc, le visage sérieux sans pensées visibles, et les yeux qui restaient rivés sur Edith, qui la suivaient, la fouillaient.

En se penchant devant lui, au-dessus de la table, Edith, consciente de son corsage trop échancré qui laisserait voir la poitrine maigre en s'ouvrant, le referma d'un geste.

Puis elle regarda dans la direction de Fabien.

Il souriait. Il la regardait en souriant et son sourire était bon. Ça n'était pas le sourire railleur des gars de la plaine.

Puis la soupe fut sur la table, et le pain aussi, et le fromage gras dans le plat.

Bernadette revint de la chambre où elle avait enlevé son chemisier de soie pour mettre un corsage de coton.

Edith vit que la femme avait enlevé ses dessous, et qu'elle avait la peau nue sous le corsage.

Fabien était donc si bel homme?

Alors Edith se souvint du sourire, et elle voulut savoir si Fabien avec Bernadette souriait de la même façon.

Mais le beau gars ne sourit pas de nouveau.

Pour Edith il eut un mot gentil, quand elle lui versa trop de café dans sa tasse.

— De rien, dit-il, de rien, je l'aime chaud, vous voyez, et pour être chaud, il faut que la tasse soit pleine . . .

Et il ne fit pas mine de voir le café répandu dans la soucoupe.

A Bernadette il parla de la terre.

— Combien de têtes a votre troupeau?

— Trente têtes. C'est un gros troupeau.

— Dame! Trente têtes, cela vous fait une maîtresse fermière . . .!

Bernadette hocha la tête.

— Avec les soucis que ça cause, vaudrait mieux être moindrement fermière et avoir le loisir du bon temps . . . Je suis encore trop jeune pour me cloîtrer.

Elle avait minaudé, souri, en disant cela, et elle avait dégagé sa taille en un geste des bras relevant les cheveux.

Mais Fabien n'avait que froncé les sourcils, et il s'était tourné vers Edith.

— Et toi, la fille, il y a longtemps que tu es ici?

— Des semaines seulement, dit Edith. Deux au plus.

— Et tu aimes la montagne? Au hameau on me parlait de toi comme une fille de la plaine.

— On parlait de moi au hameau?

Fabien rit.

— On parlait de toi justement à n'en pas savoir

21

que dire. On disait qu'à la ferme Loubron il y avait une fille de la plaine. Mais personne, sauf Vincent, ne l'avait vue. Alors on se demandait ce qu'elle avait l'air, et comment elle était faite . . .

Il hésita un moment, puis continua . . .

— Comment surtout, elle fait ses pensées, dit ses mots. Ici, à la montagne, on voit peu les gens de la plaine. Ce sont des gens à voir, pour nous qui sommes curieux . . .

Edith l'écoutait, silencieuse.

Cet homme lui parlait.

Cet homme ne détournait pas les yeux en lui parlant. Et si le regard qu'il mêlait toujours à celui de la fille pouvait signifier quelque chose . . .

Edith se composa une voix qui ne trahirait pas le grand mouvement en son âme, cette espèce de halètement qui se faisait en elle, comme au printemps la terre qui gémit d'effort . . .

— Je ne suis jamais allée au hameau, dit-elle, des deux semaines que je suis ici.

— Tu devrais y aller, dit Fabien. Il y a là de fort braves gens. Je te le dis.

Il se remit à manger, ses dents blanches mordant joyeusement dans le fromage et le pain doux.

La Bernadette Loubron le regardait.

Elle ne mangeait pas, elle le regardait.

— Tu coucheras à la maison, dit-elle soudain, comme si cela continuait une pensée. D'habitude, les engagés couchent au-dessus de l'étable. Il y a un appentis fait pour eux, mais cette fois, l'engagé couchera à la maison, avec nous.

Fabien releva lentement la tête qu'il avait penchée sur son assiette.

Il regarda longuement la Bernadette, et Edith soudain plissa le front.

Elle alla vers une étagère non loin de la table monter la mèche de la lampe.

— Il faisait sombre, dit-elle, comme se parlant à elle-même. Il vaut mieux qu'il fasse moins sombre, que la lumière jaillisse partout.

Et elle se crispa les lèvres en disant les mots.

Le souper se termina en silence.

Une fois, Fabien parla de nouveau de la terre, mais Bernadette ne répondit qu'à peine, mangeant à la hâte, et Fabien se tut.

Après le souper, Bernadette emmena l'homme en haut.

— Tu coucheras ici, dit-elle en montrant une chambre voisine de la sienne.

— Bien, dit-il.

Et il entra dans la grande chambre au lit propre, dont les draps fins sentaient la lavande.

— Moi, dit Bernadette avant de refermer la porte, je couche dans la chambre voisine, à gauche.

Puis elle referma doucement l'huis.

En bas, Edith empila les assiettes de faïence sur l'armoire où se trouvait la chaudière d'eau fraîche.

Et longtemps après que les pas eurent cessé dans la chambre de l'homme, et dans la chambre de la femme, Edith resta dans la cuisine, lampe éteinte, assise devant l'âtre où brûlaient encore les tisons d'une bûche jetée là une heure plus tôt. Elle avait l'oreille tendue vers le haut de la maison. Guettant un pas, un bruit, mais elle n'en entendit aucun.

Quand elle fut sûre que tout dormait, elle s'en fut

lentement dans sa chambre, et se coucha sur le grand lit, bien étendue sur le dos.

Plus tard, elle se leva et alla écouter dans la cuisine.

Mais il ne se faisait encore aucun bruit dans les chambres, et elle retourna se coucher, plus rassurée.

Cette fois, elle dormit, et elle fit un rêve où Bernadette Loubron, soudain devenue une géante magnifique, aux seins gros comme des pics de montagne, se jetait sur elle pour la dévorer, mais Edith armée d'un long bâton repoussait la femme, la rejetait pantelante contre une falaise, et Fabien, devenu lui aussi un géant, apparaissait tout à coup pour ligoter Bernadette, et la jeter au bas des pentes, vers la plaine, comme un paquet de guenilles.

Edith s'éveilla en sueur, et vit que c'était l'aube. Alors elle s'habilla lentement, et s'en fut à la cuisine préparer le repas du matin.

Il se fit des bruits en haut, et bientôt Fabien descendit.

Avant de saluer Edith, il alla vers la fenêtre d'où se découvrait le vallon, les pentes à gauche.

Longtemps il regarda la ferme de Bernadette Loubron, toute là, devant lui.

Puis il se retourna et examina la cuisine, basse, sombre, aux poutres noircies par le temps, d'où pendaient les jambons de l'hiver et les herbes à soupe.

Les bancs de bois dur et la table devant la fenêtre.

L'âtre immense, en pierre, où un veau entier aurait pu rôtir à l'aise.

L'armoire aux portes sculptées, le bahut des faïences et la huche à pain où dormait la pâte de quatre cuites.

Il se passa les doigts dans les cheveux rebelles, et il sourit doucement à Edith.

— Bonjour la fille, tu as bien dormi?

Ce matin, Edith avait retrouvé la paix.

— Bonjour, dit-elle. Bonjour Fabien. Oui j'ai dormi, mal peut-être, surtout à cause de la chaleur. Ma chambre est derrière l'âtre. Il y fait chaud. J'ai donc mal dormi, si c'est ainsi. Mais comme c'est toujours ainsi, alors je ne me plains plus . . .

Fabien fit la moue.

— C'est un mauvais marché, dit-il. Travailler et ne pas dormir est un mauvais marché. Je le dirais, moi, à la Bernadette, pour l'âtre et la chaleur trop lourde.

Edith secoua la tête.

— Non. Elle dirait que je suis capricieuse. C'est une bonne place ici.

— Je le lui dirai, moi.

Edith sourit. En elle-même, une grande joie envahit son âme.

Elle étendit la nappe de toile brute sur la table, et mit les plats pour le repas.

— Je me hâte, dit-elle, Bernadette descendra bientôt. Il faut que tout soit prêt.

— Je lui dirai pour la chambre chaude, dès ce matin, dit-il, elle m'écoutera.

Fabien sortit sur le pas de la porte, huma le matin frais, avec le vent de la montagne qui venait rafaler jusqu'à ses pieds.

Il entendit le meuglement impatient des animaux dans l'étable.

— J'ai trop dormi, dit-il du seuil de la porte. J'aurais dû me lever avant l'aube, aller soigner ces

25

animaux avant de déjeuner. Demain, ce sera comme ça.

— Oui, dit Edith. C'est la façon.

— Je sais. Mais ce matin, c'était le nouveau en cette ferme, et un lit meilleur qu'à l'habitude, la fraîcheur de la chambre sombre. J'ai dormi . . .

Il rentra, referma la porte.

Il ne resta plus, sur le plancher de terre battue, que le carré de soleil jeté par la fenêtre.

Le grand cône de la porte était disparu.

A sa place, c'était un coin sombre.

Fabien se tint là, debout, regardant Edith qui vaquait à ses œuvres du matin.

Il avait un vague sourir sur les lèvres, et il la regardait d'un air songeur.

Edith avait soudainement conscience de tout son corps, de toute sa peau, et elle sentait sur elle comme un grésillement, comme une hâte fébrile . . .

Des pas retentirent en haut, et Bernadette descendit lourdement, les yeux bouffis, le corps flasque.

Elle avait noué ses cheveux blonds au-dessus de la tête, et elle n'avait passé par-dessus son corps nu qu'une robe de coton comme la veille.

Elle se laissa tomber sur le banc au bout de la table, bâilla profondément, se frotta les yeux de ses mains potelées, puis dit à la ronde, autant à Edith qu'à Fabien:

— Bonjour!

Si elle ressentait du désappointement de Fabien, si elle lui en voulait pour la veille, elle ne le montra pas.

Elle dit « Bonjour! » de nouveau, moins fort, et s'attaqua au plat devant elle.

Fabien alla s'asseoir, et s'affaira à manger lui aussi.

Edith, debout devant l'armoire, ne bougeait pas.

III

QUAND FABIEN retourna pour la première fois au hameau, après s'être engagé pour le travail chez la Bernadette Loubron, il se garda bien d'aller chez Valois le cordonnier.

A cause surtout de la femme Valois.

On la connaît au hameau, puisqu'elle a la langue amère et le parler narquois. Elle sait tordre les idées que l'on a, et les changer, et leur donner un tout autre aspect.

Le mois d'auparavant, puisqu'un mois a couru depuis l'arrivée de Fabien chez la Bernadette, ce mois-là donc, Fabien était entré chez Valois, et il avait dit au cordonnier que la Bernadette, venue au hameau, voulait de lui pour le travail là-haut, maintenant que le printemps était proche.

— Veut de toi pour le travail? avait demandé le cordonnier.

Et sa femme qui était là avait tout simplement dit, en ricanant:

— Elle veut de toi?

— Suffit, avait dit Fabien. Je te connais, la femme Valois. Ne change pas mes mots. Je dis pour le travail. C'est Vincent qui en a parlé à la fermière Loubron. Ensuite elle est venue et j'ai accepté.

— Il y a toutes sortes de travail ... dit la femme Valois en ricanant de nouveau.

Fabien avait eu un geste d'impatience.

29

— Donc la Bernadette voudrait que j'aille pour ses champs et ses troupeaux.

— C'est une riche ferme, dit Valois.

— Et il y a une fille de la plaine, à cette ferme.

Fabien, sans le vouloir, avait laissé paraître son intérêt sur le visage. Il voulut rattraper l'attitude, avant que la femme Valois ne la vît, mais il était trop tard.

— Voilà, dit-elle. Je savais qu'en le disant, cela voudrait tout dire. Notre Fabien veut maintenant voir cette fille. Dame, elle est de la plaine! Et l'homme devient curieux. De la plaine, c'est à voir! Mais elles sont comme nous, les femmes de la plaine... Elles n'en ont pas plus ou moins. Je puis te montrer des choses, et tu les retrouverais pareillement faites et pareillement utiles au plaisir ou au malheur chez toute fille d'en bas... Qu'est-ce qu'ils ont donc tous, les hommes de la montagne, à vouloir les filles de la plaine? Nous ne faisons pas les enfants qu'ils veulent?

Fabien essaya de protester.

— Ça se dit, mais qui le prouve? Est-il un homme de la montagne qui a marié une fille de la plaine, en ce hameau?

La femme Valois haussa les épaules.

— Ce n'est pas tellement pour le mariage. A ce moment-là, nos hommes se souviennent de nous, et savent que nous sommes de bonnes bêtes, habituées aux pentes raides. Alors ils épousent les filles de la montagne. Mais avant, où vont-ils?

— C'est probablement mieux ainsi, dit Valois. Nos filles sont vertueuses...

La femme Valois ricana.

— Vertueuses, oui ... à se laisser colleter par les errants, ou par les colporteurs venus des autres pays ... On connaît le petit de la fille Lorgneau, avec ses cheveux noirs crépus et son drôle de nez de sauvage ...

— Je reviens au sujet, dit Fabien. Je reviens à la fille chez la Bernadette. Vous en savez quelque chose?

— Elle est là à cause de Vincent-la-grosse-tête, dit la femme Valois. Il a raconté qu'il est allé chez la Bernadette, voir si elle lui donnerait le vieux cheval bai qui est aveugle et sans force de travail. La Bernadette a dit qu'elle cherchait une engagée.

— Vincent la connaissait? demanda Fabien.

— Oui, et puis non. Vincent l'avait rencontrée qui errait dans les sentiers, en venant ici de la plaine, et il l'avait menée chez lui. Ainsi, il lui trouvait gîte et pain. Il l'a envoyée chez Bernadette.

— Voilà l'histoire? dit Fabien.

— Pour une fois ma femme dit les choses telles qu'elles se sont passées ...

La femme Valois eut un hurlement.

Valois confirma.

— Pour une fois! cria-t-elle ... Ah! tu en as, toi, le Valois, de dire pareilles choses devant le Fabien. Et je devrais te casser la tête devant lui, pour te montrer ma colère ... Et je ne sais pourquoi je ne le fais pas ...

Elle avait saisi un pesant marteau, et elle fonçait sur son homme.

Fabien sourit, et s'esquiva sans bruit, en se disant que le Valois, accoutumé, saurait bien se défendre de sa femme.

Dehors, il mit ses pas dans le sentier du cabaret, et rejoignit les amis. Plus tard, il alla trouver Bernadette chez Lorgneau, et il monta avec elle.

Histoire de voir cette fille de la plaine ramassée par Vincent. Histoire aussi de gagner chez la Bernadette les sous pour l'hiver.

Il y a un mois de cela. Et ce matin, au lieu de pousser la porte chez le cordonnier Valois, il se souvint que la femme Valois trouverait peut-être trop de mauvaises choses à dire sur l'Edith.

Il fila donc sur le cabaret de Branchois, où les hommes du hameau seraient à prendre le bon vin des fûts de chêne.

Le travail du printemps achève. Les hommes peuvent maintenant, en attendant les semences, en attendant que de la terre riche surgissent les pousses qui seront la fortune de l'année et le fruit du labeur, boire un peu le bon vin sucré, le long des jours tièdes, pendant que les bêtes commencent à paître paisiblement et que l'œuvre de vie se fait en terre.

Fabien entra doucement dans le grand cabaret aux murs de plâtre gris.

Il posa son chapeau sur la table de fer, près de la porte, et il avança doucement vers le groupe d'hommes assis en rond près du comptoir, qui écoutaient tous la voix claironnante de Branchois.

Le cabaretier, fier visage et bonne mine d'homme, avec de l'humour dans le plissé des yeux et la bouche mobile, leur racontait l'histoire de Théophile, un récit que le groupe ponctuait de ses gros rires, de tapes fortes sur les cuisses dures, de joyeuses interpellations d'un homme à l'autre, quand le récit se corsait.

Et Dieu sait que Branchois savait corser le récit ... surtout en parlant de l'Elise à Théophile dont on sait qu'elle est belle femme, et accorte, et bien portée à ce qu'on sait et qu'on ne dit pas ... seulement un clignement d'yeux, un petit geste de la jambe, quand on est debout, un fléchissement des genoux ... on se comprend, entre hommes, allez!

— Je vous le dis, moi, que c'était la belle chose à voir, que le Théophile s'empiffrant du vin rouge! criait le cabaretier pour que toutes les oreilles entendent.

Car il y avait là Lorgneau, et Boutillon qui devient sourd, et le veuf Pajeau, et le fils Janson, et d'autres encore, dix en tout.

« Voilà le temps, songea Fabien, de connaître l'histoire de Théophile. Voilà tant de fois que je me la fais raconter par celui-ci ou celui-là, mais jamais par Branchois, qui est bien celui à la savoir au long, et dans le vrai des vrais ... »

— Donc Théophile boit ici, continue Branchois, après un salut à Fabien, et un clin d'œil pour le faire patienter. Il boit chaque jour. La vin à la mesure pleine. Et boit donc, et boit donc. Et sans jamais se saouler, c'est vrai. Il en a dans le corps de quoi servir mes clients du dimanche, et pas saoul. Mais le temps qu'il est ici, il ne travaille pas. L'Elise crie, à la maison. Il nous raconte ça tous les jours. La belle Elise crie que la terre s'en va, que tout le temps utile se passe ici. Je vais aux champs de Théophile, un jour qu'il est ici, et je vois bien que c'est vrai. Les champs sont en friche, et le troupeau ne vaut pas cher ... Théophile, lui, proteste que c'est pas de l'argent qu'il vient boire ici, puisque le vin est gratis. Je m'explique. J'avais mené mon bateau sur la Gueuse un matin. Là où elle est calme et traverse le grand plateau. Là donc où elle longe la terre de Théophile et celle de Bernadette Loubron. Et le bateau fait eau, il coule, je suis à l'eau sans pouvoir nager ... rapport que je le sais pas, moi, comment faire les mouvements de la nage. Et Théophile est aux champs, et il me voit et m'entend, et il se jette à la nage et vient me repêcher. Moi, à penser que j'ai la vie sauve à cause de lui, je lui dis que le vin, tant que lui Théophile sera vivant, et mon cabaret ouvert, le vin sera gratis. Donc le voilà qui boit. Sans penser que je le rendrais ivrogne, j'avais dit ça. Sans penser aussi au chagrin à causer à l'Elise. On sait que femme en chagrin est mauvaise amoureuse. Et rien de pire qu'une femme qui pleure quand vous la clouez là où vous savez. C'est une manière à être tout seul dans l'acte, et tout seul, surtout avec la belle Elise, ce n'est pas chrétien!

Il fit un geste drôle et ils rirent tous ...

— Tout seul, ça ne vaut pas cher. J'aurais pas voulu souhaiter cette manière-là à Théophile. Mais voici qu'à boire le vin gratis, la manière se produit comme ça. Et Elise qui crie, Théophile qui nous raconte son grand mal. Moi, je ne sais plus quoi faire. Théophile a sauvé ma chienne de vie ... le moins que je puisse faire est ce que j'avais fait. Et on ne retire pas ce qu'on a donné ... Donc, je suis perplexe ... Mais voilà qu'Elise trouve le moyen de tout régler ... Ecoutez-moi ça des plans de femme, de belle femme, forte en tout et en tête aussi ... Elle vient au hameau, un jour, et elle s'en va chez Cordeau le marchand, et elle soudoie un petit qui vient ici me chercher, rapport qu'elle voulait me parler là. J'y vais, et elle me dit: « Branchois, je t'ai toujours gardé en bonne estime, mais seulement, j'aime pas ce que tu fais à mon mari! » Moi, je suis surpris, j'attends ce qu'elle va dire ensuite. « C'est rapport au vin, qu'elle dit. Si donc mon Théophile t'a sauvé la vie, Branchois, pourquoi lui servir, parce que c'est gratis, ton pire vin, bon tout au plus à jeter dans la Gueuse? » Pensez comme c'était un choc que ces paroles de l'Elise... « Théophile te le dirait lui-même, qu'elle continue, mais il n'ose pas. Alors je viens, moi... »

— Et qu'est-ce que tu as fait? demande Lorgneau curieux.

— Qu'est-ce que j'ai fait? Je suis revenu au cabaret, et j'ai bouté Théophile dehors... Dans le fond, j'avais bien compris le jeu de l'Elise, et j'ai fait le surpris, puis l'offusqué, et ensuite l'insulté. J'ai bouté Théophile dehors, en lui répétant ce qu'il avait prétendu, selon sa femme. Théophile, en colère, est retourné chez lui, et s'est remis à peiner aux champs. Il était devenu malingre, il redevint gras et solide... Aujourd'hui, il ne boit plus, il est ardent fermier, et va se faire de la richesse avant peu... Et on sait que l'Elise est restée belle femme. Voilà l'histoire... Et vous croyez donc que cette Elise n'est pas une maîtresse femme, hein!

Et le rire fut un éclat général, la joie à sa pleine gaieté, et Branchois vint à Fabien:

— Pour toi, le vin, Fabien?

— Pour moi, le vin.

Branchois partit, mais Fabien le retint par le bras...

— J'ai bien aimé cette histoire de Théophile, Branchois, dit Fabien. D'autant que je la connaissais mal, et je suis heureux de la bien connaître, en ses vrais détails. Dis-moi, tu as vu Coudois, aujourd'hui?

— Non, il viendra, c'est sûr. Il viendra tantôt, c'est son heure. Il n'est pas encore venu.

— Alors je l'attendrai.

Et Fabien glissa sa chaise de deux pieds pour la rapprocher du groupe.

Une autre histoire se racontait, et on l'écoutait sans voir Fabien.

Quand Lorgneau eut fini, car c'était lui qui racontait, il se retourna vers Fabien, le vit . . .

— Tiens, le Fabien de la Bernadette!

Cela avait été un fouet qui cingle, un coup qui heurta Fabien.

Il se leva et marcha sur Lorgneau.

— Dis-le encore, Lorgneau, dis le mot que tu as dit . . . pour la Bernadette!

Il resta bien assis, la tête en défi, le visage hilare.

— Tu es l'homme de la Bernadette, on le sait. Car pourquoi y serais-tu allé, peiner en cette ferme, dans ces champs, à moins que ce ne soit pour la Bernadette . . .

Tout à coup Lorgneau se plissa les yeux, et dit:

— Il y aurait peut-être, Fabien, que tu n'es pas allé là pour la Bernadette, mais pour l'autre, la fille de la plaine, la fille jaune à peau maigre?

Lorgneau avait donc vu l'Edith?

Impuissant devant Lorgneau, Fabien serrait les poings et les desserrait et il avait de l'écume aux lèvres.

Lorgneau se tourna vers les autres, silencieux, attendant ce que l'homme allait dire, et il déclara d'une voix narquoise:

— Vous voyez ça comme c'est compliqué la vie d'un homme ... Voici notre Vincent-la-grosse-tête qui veut un cheval, et va chercher le bai de la femme Bernadette Loubron. Jusque là c'est bien, et en bonne forme. Mais Vincent a recueilli une errante qui dit venir de la plaine, et il l'a menée à sa cabane. C'est cette femme, avec qui Vincent n'a pas couché ...

Ils s'esclaffèrent tous, et Fabien voulut les tuer, l'un après l'autre, pour le rire, et pour les pensées qui faisaient le rire ...

— Voici donc, dit Lorgneau, cette femme, laide et sans charmes (je le sais parce que c'est Vincent qui me l'a dit), autrement que nos femmes à nous qui sont rondes et dodues, vous le savez. Vincent l'envoie chez Bernadette et la femme Loubron lui donne du travail. Puis c'est Fabien qui y va ensuite. Et voilà Bernadette, la fille laide, et Fabien. Deux femmes. L'une qui a perdu l'homme pour le plaisir, alors elle en veut d'un autre, c'est à croire, et l'autre qui est laide, et veut de l'homme à cause de ça ... Vraiment la belle vie pour Fabien!

Et Lorgneau devint tout à coup sérieux, avec un regard mauvais.

— Seulement, Fabien, songe à ceci. La femme Loubron a quarante ans, et plus, et tu en as trente. Pour ce qui est de la fille, elle est laide, et elle vient de la plaine. A part d'avoir passé deux nuits sous le toit de Vincent ... Et qu'est-ce que ça te fait, beau Fabien, tout ça? Sinon un petit personnage

37

dégoûtant, comme je n'en veux point connaître, moi . . .

Et Lorgneau cracha en plein visage de Fabien.

Ce fut alors que l'homme engagé de la Bernadette laissa surgir tout ce qui était en lui.

Et durant dix minutes, sa force et sa jeunesse triomphèrent de Lorgneau la brute, jusqu'à ce que Lorgneau, par terre sur le parquet de bois dur, fasse des gestes pour montrer qu'il en avait assez.

Le sang coulait de son nez et de ses lèvres fendues. Il avait la mâchoire disloquée, et un bras mal en point.

Par terre, il faisait piètre mine.

Alors Fabien se releva, remonta son pantalon d'un coup à la ceinture, et dit en crachant à son tour sur Lorgneau:

— C'est pour finir tout ce qui se dit! Je marierai cette fille laide, si elle veut de moi. Et je ne couche pas avec la Bernadette, parce que je ne veux pas d'elle. La place est bonne, et j'aime le travail. J'aime aussi la fille laide qui se nomme Edith, et je l'aimerais même si elle avait couché deux nuits avec Vincent-la-grosse-tête. Je vous dis ça, parce que si vous trouvez à redire, vous pouvez parler tout de suite, devant moi, pour que je l'entende.

Ils se tenaient tous devant le comptoir, silencieux.

Alors Fabien sortit du cabaret.

Dehors, la lumière crue du soleil lui ferma les yeux un moment, mais quand il les rouvrit, il voyait mieux, et il marcha vers la ferme Loubron, oubliant Coudois qu'il voulait consulter.

IV

Sur le sol gras de la ferme riche, et dans la grande maison aux murs de pierre, au toit de chaume large et bas, la vie coula des jours.

Des jours de labeur, car Fabien dut peiner durement dans les champs et dans l'étable, partout dans cette ferme où la main habile n'avait pas de longtemps travaillé.

— C'est à refaire, avait-il dit à Bernadette, comme du mauvais tricot dont on reprend les mailles. Les champs ont besoin d'engrais, et les puits sont malsains. Il faudrait un toit neuf à l'étable, et la grange porte mal sur ces étais pourris. Et puis bientôt les semences!

— Fais et refais, répondit la Bernadette. L'argent est là dans le coffre. Ce dont tu auras besoin, je te le donnerai.

Fabien s'était mis au travail et il ne rentrait que nuit tombée, mangeait plein sa panse du repas d'Edith, et il allait se coucher. Avec un sourire à la fille, un bon mot, une pensée qu'on lui lisait sur le visage. Mais c'était tout, et c'était encore le bonheur de la servante.

Elle le regardait monter, fourbu, lourd, le grand escalier de chêne qui avait été taillé dans le coin de la cuisine, et quand il était en haut, qu'on entendait ses sons, elle se hâtait de laver les plats, de tout ranger, pour entrer ensuite dans sa chambre.

Sous l'effort et le geste du muscle, sous la force de Fabien, la ferme prit son ampleur et dans les champs germèrent les tiges au beau vert.

Les animaux aux pâturages eurent le flanc rebondi de la bonne chair, et les vaches, elles, le ventre de la multiplication, qui pendait là, à toucher le sol, plein du veau qui serait gras et dodu, comme veau doit être en pâturages riches.

Les bâtisses reprirent leur allure d'antan, et Fabien appliqua sur chaque mur de la chaux brillante, pour que le soleil frappe dessus, et chante le bon ordre de la ferme Loubron, menée par la Bernadette et par Fabien son homme, qui est un fier engagé, c'est dit, et par la servante Edith, qui fait bien sa part de frotter les bois usés et nettoyer les parquets battus.

Oui, mais cela dans les champs, et dans les bâtisses, sur les murs et le long des haies bien taillées et des parterres propres et fleuris.

En dedans, dans les âmes et les cœurs, il y avait l'autre chose. Comme le feu et le volcan. La grande flamme qui hante et veut sortir . . .

Dès le premier soir, la Bernadette, sans homme depuis l'an que son Pascal est mort, depuis l'an d'avant que son Pascal était malade et cloué sur le lit, la Bernadette donc a voulu de ce beau Fabien, grand et en pleine force, avec des yeux pour ces choses-là.

Au hameau, en parlant de lui, on avait cligné de l'œil, et Bernadette avait eu la manière qui est celle des femmes disant craindre un mauvais gars. Au fond, c'était à cause que le Fabien avait cette réputation, qu'elle l'avait surtout engagé.

40

Mais dès le premier soir aussi le Fabien, timide probable, a couché seul dans le grand lit blanc.

Fabien a souri à la fille Edith aux seins maigres. Il n'a pas souri à la Bernadette opulente et chaude.

« Je t'aurai, toi, a songé Bernadette. Je t'aurai quand il le faudra, et ce jour où tu vas frapper à ma porte, où tu entreras, tu ne sortiras plus jamais ».

Car dans le cœur de la femme, il fallait que d'autres pensées que celles du désir de l'homme, et du désir des caresses de l'homme, et du désir des vouloirs inassouvis depuis si longtemps, soient là.

Au début, ça n'était que l'homme.

Fabien qui est grand, qui a les cheveux frisés et la bouche rieuse. Fabien et sa bonne voix, et son sourire chaud, et ses belles dents blanches.

Ce n'était que l'homme et ses muscles et sa peau brune et propre.

Mais les jours se passèrent, et ce fut pour la Bernadette autre chose aussi. Ce fut la ferme enrichie, et les champs maintenant rajeunis par les labours, beaux comme jamais vus en la ferme Loubron.

C'était toute la ferme, et les bâtiments réparés, les toits alignés, les chemins raclés et le troupeau sain.

C'était l'argent dans le coffre, qui entrait au lieu de sortir, qui s'amassait là, grâce à ce Fabien.

Alors dans le cœur de la Bernadette, l'amour, l'amour de chair et l'amour de l'or fit un grand sursaut, et elle se prit à songer à cette fille Edith, laide et maigre dans la cuisine sombre, à qui Fabien, chaque soir de chaque jour, parlait et souriait, sans lui parler à elle pour dire autre chose que:

— Aujourd'hui, j'ai mené trois veaux au chef-lieu,

alors voici quatre billets pour les veaux, quatre billets de plus dans le coffre.

En souriant, mais le sourire signifiait la fierté.

Et Bernadette avait du bonheur des billets, et du malheur parce qu'elle aurait voulu des billets, soit, mais plus encore autre chose.

« C'est parce qu'il couche là-haut, se dit-elle. Il devrait coucher plus loin, je ne le sentirais pas si près, ce serait moindre. »

Mais en songeant à renvoyer Fabien au-dessus de l'étable, elle songea aussi que la fenêtre de la chambre d'Edith était en face de l'étable, et au ras de terre.

« Il entrera là. Il couchera avec la fille maigre. Ce sera pauvre plaisir, soit, mais s'il aimait justement ce plaisir-là? »

Et elle résolut de le garder en haut, non loin d'elle. Pour mieux surveiller. Un loup qui tient la proie sous ses yeux.

Et pour l'Edith, Bernadette conçut peu à peu une haine profonde.

— Tu es laide! lui cria-t-elle un jour, parce que la fille avait renversé la marmite de soupe en glissant sur le parquet humide.

C'était la première fois que la Bernadette avait montré sa haine nouvelle. Avant, elle avait eu des yeux, ou des visages, des moues de ses lèvres larges, ou des mots brusques que la fille Edith n'avait pas compris.

Mais ce matin-là, la phrase avait explosé, comme une ruée de torrent au printemps, dans un ravin abrupt, et elle avait éclaté dans la cuisine, en se butant contre les murs, contre les meubles de la pièce, contre la pierre rugueuse de l'âtre, contre Edith, qui avait reculé sous le choc, qui s'était adossée à l'âtre, le buste penché en avant.

— Qu'est-ce que vous avez dit, murmura la fille, qu'est-ce que vous avez dit?

— J'ai dit que tu es laide! Laide et sans habileté des mains!

Edith avait les yeux grands, et le rouge sur toute la face. Et elle haletait comme une chienne apeurée . . .

« Je halète comme une chienne, songeait-elle, je suis une chienne. Une chienne laide, un mauvais animal de fossé boueux . . . Je suis laide . . . Voilà le mot, et il a été dit. Je le savais et on ne me l'a jamais dit . . . »

Puis elle cria, sa voix comme une plainte dans la pièce basse:

— On ne me l'avait jamais dit! Je le savais sans ça! Il fallait que vous, vous au lieu des autres, me le disiez . . . Il fallait que ce soit ainsi, en cette maison où je suis heureuse . . .

Et elle se jeta sur la marmite de fonte, et elle la prit entre ses bras, et la porta au-dessus de sa tête comme une pierre à lapider.

— Je tuerai! hurla-t-elle, et ce fut au tour de Bernadette de reculer. Je tuerai, à cause de cette laideur et de ma bouche sans sourire . . .! Je vous tuerai, vous, et tous les autres . . . Tout le monde, chaque homme de cette terre, et chaque femme, parce que vous avez des yeux. Des yeux pour me voir!

Elle était terrible ainsi, décharnée, ayant trouvé dans ses bras sans chair la force de soulever la marmite de fonte.

Et elle avançait sur Bernadette qui se mit à gémir, affalée dans le coin, par terre, les mains croisés sur la poitrine, attendant le coup.

Mais soudain les bras ne voulurent plus tenir la marmite et ils se replièrent, et l'Edith laissa glisser son fardeau vers le sol, et elle se laissa glisser elle aussi à côté, et elle se mit à pleurer, avec de la rage dans les pleurs, et un malheur immense, et un son qui était celui des vents d'automne et de la feuille mutilée, de la louve à qui on vient de tuer le petit.

Une plainte qui montait de la chair, et qui avait des sons venus des origines mêmes.

Alors Bernadette se releva, commença un geste pour aider Edith, la mener vers une chaise, mais elle retint le geste, et se détourna. Marchant lentement vers la porte, elle sortit de la maison pour aller dans les champs retrouver du soleil et de l'air pur.

Elle laissa la fille, immobile sur le parquet.

V

Les jours qui suivirent furent des jours sombres. Bernadette n'avait rien dit de plus. Elle marchait tête basse dans la maison, et vaquait à ses travaux sans lever les yeux sur l'Edith.

La fille, de son côté, avait les yeux qui regardaient loin devant elle, et elle marchait à pas longs et durs, et sa lèvre était plissée par l'effort de cette rage qui couvait.

Contre Bernadette? Non. Comme un loup qui rôde dans les bois en grondant, sans savoir contre qui il gronde. Un loup solitaire, rejeté par la meute, qui chasse seul.

Elle vécut des heures et des jours, travaillant sans relâche, mordant dans sa douleur, mordant dans sa rage, retenant les gestes pour ne rien briser.

Une fois, seule dans sa chambre, elle alluma la lampe, et se regarda dans le miroir. Quand elle eut fini, elle prit froidement le miroir, et elle le projeta sur le parquet. Le miroir se fracassa et Edith eut un ricanement sauvage.

Le lendemain, elle se coupa les cheveux.

Pas en un geste modéré, pour que la tête soit embellie, et le visage dégagé, mais en quatre coups de ciseaux rageurs. Elle tailla sa tignasse noire et terne, et les cheveux tombèrent de chaque côté d'elle. Une mèche s'accrocha à sa hanche osseuse, et elle la rejeta par terre d'un geste haineux.

Le lendemain matin, quand elle se leva, elle ne peigna pas les cheveux trop courts, et les laissa ainsi raides. (Maintenant, elle a les cheveux qui descendent, droits, inégaux, et elle est doublement laide.)

Le soir, quand Fabien entra, et qu'il la vit ainsi devant la table, il la regarda d'un air surpris. Et il regarda les cheveux. Puis il se remit à manger avec de la tristesse dans le visage.

Edith ne broncha pas. Elle avait vu le regard de Fabien, et elle avait vu la tristesse, mais elle ne changea pas d'expression. Ses lèvres restèrent pincées, ses narines frémissantes.

Fabien mangea en silence.

Après le repas, au lieu de monter se coucher, il demanda à Edith:

— Viendrais-tu avec moi à l'étable, la fille. Il y a là un étai que je ne puis remuer seul. Il faudrait . . . Oh, pas de la force, à l'autre bout, seulement quelqu'un qui bougerait la chose. Moi, ensuite, je pourrais la ranger.

— J'irai bien, moi. Je suis forte, dit Bernadette.

Mais Fabien secoua la tête:

— C'est à nous de le faire. Vous êtes la patronne. Nous sommes ici pour le travail. Viens-tu, la fille Edith?

Et Edith y alla.

A l'étable, Fabien n'alluma pas de lampe, ne trouva pas d'allumette.

— Je me dis que la lune qui fait de la clarté par la fenêtre là-bas suffit, dit-il. Dans quelques minutes, nous verrons tout dans cette étable.

46

— Où est l'étai? demanda Edith.

Mais Fabien se mit à rire doucement.

— Il n'y a pas d'étai, dit-il. Il n'y a pas d'effort à faire. C'était le moyen de te parler. Dans la maison, il y a toujours la Bernadette qui rôde. Alors moi je ne peux pas parler. La place est bonne, et le travail facile, puisque je suis le maître de ce sol . . . bien le maître, mieux encore que s'il était à moi . . . Mais il y a Bernadette.

— Maîtresse femme, dit Edith.

— Mais qui rôde, la fille. Qui rôde et tu le sais . . .

Edith eut un bonheur au cœur. Fabien le savait donc, que la Bernadette rôdait. Et il n'allait pas vers elle . . .

— Que veux-tu me dire, l'homme? demanda-t-elle.

— Des choses. Surtout à cause de toi et de moi.

Elle recula, alla s'appuyer contre le mur humide.

Une vache remua et Edith se rendit compte qu'elle voyait maintenant dans l'étable. Qu'elle distinguait les animaux, et même Fabien, grand devant elle — son corps large une masse d'ombre, son visage du blanc dans la pénombre — et ses yeux qui la regardaient.

— Ne me regarde pas ainsi, l'homme. Tu m'as vue cent fois depuis que tu es ici.

— Je voulais te parler, Edith, murmura-t-il. A cause que je t'aime.

Le mot l'effraya soudain: elle eut une peur qui l'envahit.

Fabien ne pouvait voir son visage, mais elle sentait que les lèvres grimaçaient, que les yeux étaient agrandis, qu'elle était pâle sous le brun de la peau.

Et soudain elle eut un gémissement et se jeta vers la porte.

Mais il fut sur elle, et il l'empoigna, la mena contre le mur, colla son corps contre le sien.

— Tu as peur, la fille Edith? dit-il.

Elle gémit de nouveau, et voulut le repousser, mais il s'appuya sur elle.

— Laisse-moi, geignit-elle, laisse-moi!

— Tu as peur de moi, Edith? Je ne te ferai aucun mal. Je te tiens là pour les paroles. Cela ressemble à autre chose peut-être, mais c'est pour que tu m'entendes ...

Elle sentit sa main qui cherchait, et tout à coup la main de Fabien saisit la main de la fille, et la prit, la tint là, dans sa paume large.

— Je t'aime, vois-tu, la fille Edith. Depuis tant que je te regarde, et que je sens cet amour. Ce soir, il fallait que je te dise ... Si tu veux rester ici, écouter ce qui est à dire ... Car il y a ce que je dois dire, puisque je t'aime, et ce que tu dois dire, puisque la femme à qui l'on dit ces choses doit parler; c'est dans la vie de l'homme que les choses soient ainsi. Vas-tu rester?

Elle fit oui de la tête.

Il devina le geste et demanda:

— Tu as dit oui?

— J'ai dit oui.

Il la lâcha, et elle resta contre le mur, une sueur sur les reins, un tressaillement dans la chair, les idées maintenant comme lointaines, comme dans un rêve qui vient nous déchirer, la nuit.

— Je t'aime, Edith. Et toi?

Elle se prit la tête dans les mains, et elle la secoua, de droite à gauche, comme pour ramener la
lumière ou l'ordre dans les idées ...

— Fabien ... je suis laide.

La phrase avait été dite et elle voulut la rattraper.
Elle eut un cri rauque, sourd, qui retentit dans
l'étable.

— Je ne fais pas ma vie, moi, dit Fabien. Je ne
fais pas mes goûts. Tout est ici.

Il se frappa la poitrine.

— Je dis que je t'aime, continua-t-il, et tu me dis
que tu es laide. Cela est de ton goût, de te trouver
laide ... Moi, c'est ainsi. Tu es Edith, que j'aime
d'amour.

— Je suis laide.

— Qui te l'a dit?

— Je le sais. Et Bernadette l'a dit.

Il vint vers Edith. Depuis un moment, il était
appuyé contre un des poteaux soutenant le toit, mais
il s'approcha et vint près de la fille.

— Bernadette t'a dit que tu étais laide?

— Oui.

— Quand?

— Je ne sais plus. C'est comme essayer de se
souvenir de la douleur. Le souvenir est dans la
chair, on sait ce que fut la douleur, et il semble
qu'elle est encore là, sous le muscle, prête à sortir,
à surgir de nouveau. Mais on ne sait plus quand
était la douleur, ni quand elle est partie. C'est venu,
puis reparti, et le temps ou la date ... C'était autrefois ... le passé proche, le grand passé lointain.
Ainsi pour les paroles de Bernadette ... Je ne sais
plus.

— C'était hier?

— Non.

— Quand? Il faut te souvenir.

— La semaine dernière, mais je ne sais plus quel jour.

— Alors c'était avant les cheveux?

Elle cria:

— Oui, oui, c'était avant ça. Avant tout. C'était avant le malheur. J'étais quasi heureuse. Je rêvais de toi. J'étais folle, parce que j'avais oublié ma laideur. C'était un rêve. La Bernadette m'a éveillée.

Il prit la fille Edith et l'attira à lui. Sa main massive tenait le corps de la fille vis-à-vis les reins, et elle sentait la peau chaude qui la pressait contre l'homme.

— Non! cria-t-elle, non je ne veux pas que tu me tiennes comme ça. C'est la torture ensuite. Avant je n'avais que le rêve...

Et elle se mit à gémir:

— Maintenant, il faudra que j'aie le souvenir...

— Mais je te donne le souvenir et l'acte, et tu refuses? Je te dis que je t'aime. Tu ne veux donc pas de moi?

— Songe à Bernadette, dit Edith. Elle a dit que je suis laide. C'est donc qu'en moi-même et sur moi-même, sur ma peau et dans mes yeux, je suis laide et repoussante.

Il ricana.

— Bernadette est une femme. Elle te voit avec des yeux de femme. Dis-lui ça. Tu ne m'aimes pas, toi?

Elle se mit à trembler, et soudain elle eut un gémissement comme un animal blessé, et elle s'agrippa à lui, tout son corps soudain déchaîné, une force vivante qui prenait Fabien, qui se l'incorporait dans la chair, qui se happait à lui comme une pieuvre, avec des bras partout, des ventres et des jambes qui amenaient l'homme à elle, et elle geignait comme une bête blessée:

— Oui, oui, je t'aime . . . je t'aime . . .

Plus tard, Fabien dit d'une voix douce:

— Demain soir, va marcher dans le soir clair, et je te rencontrerai au ruisseau de la Gueuse . . .

Et ils revinrent à la maison.

Bernadette n'était pas couchée.

Elle était assise, le menton dans ses paumes, ne regardant rien. La lampe brûlait au centre de la table.

Elle ne regarda même pas Fabien.

L'homme monta à sa chambre, et Edith attendit près de l'âtre que la patronne s'en aille, pour éteindre la lampe après avoir verrouillé les portes et les fenêtres.

La femme se leva, et vint se placer devant Edith.

D'un geste sec, soudain, comme un fouet qui cingle la peau nue, elle agrippa ses doigts musclés au corsage mince de la fille, et le déchira du haut en bas.

Alors Bernadette éclata de rire, et mit son doigt sur cette peau molle et tombante, et son rire redoubla. Puis elle monta se coucher.

VI

QUAND LE SOLEIL est entré dans la longue cuisine aux poutres énormes, la fille qui s'affairait devant l'âtre se releva, et vint à la fenêtre.

— Voilà le soleil, dit-elle. Il n'y a plus de nuages, et le soleil luit.

Elle essuyait ses longues mains maigres contre le tablier de coton trouée et se collait le nez sur le carreau clair.

— C'est comme de l'eau de fontaine, ce jour-là, on pourrait se mirer dedans. Vraiment beau et brillant.

Et la femme qui était assise près de la table, et qui triait les lentilles pour la soupe, ne regarda pas le soleil et le beau jour de la fille.

Elle dit seulement d'une voix morne!

— C'est beau.

— Ça me rappelle le temps des fêtes de fleurs, au chef-lieu, dit Edith, en ne parlant à personne. On dirait que le Bon Dieu, ça Lui plaît dans l'âme de voir fêter ses fleurs. Après tout, Il les a faites, vrai? Et alors Il fait du beau temps aussi, de quoi se bien marier aux fleurs du jour, à la joie du jour... Voyez-moi ce ciel, hein? Du bleu bien attaché aux quatre coins. Solide.

Et la femme dit:

— Oui.

La fille ne l'entendit pas. Elle parlait toujours, son visage mince aux joues creusées tout illuminé de joie.

— Ce soir, dit-elle, je vais rêver. Il y aura de la lune. La lune, c'est fait pour le rêve. On le dit dans des livres que je connais. J'irai marcher près du ruisseau de la Gueuse . . .

— Seule ?

La femme regardait maintenant la fille.

— C'est à voir, répondit-elle, c'est bien à voir. Il se pourrait que Fabien vienne aussi.

Alors Bernadette se leva doucement, belle et forte en poitrine, et vint se placer près d'Edith qui se retourna pour lui faire face.

— J'attendais que tu dises ça, dit la femme, justement ça.

— Quoi?

— Pour Fabien. Ce qui fait la différence entre des gens comme moi et les autres. Deux sortes de gens, donc. Ceux qui attendent pour parler, et ceux qui n'attendent pas. Pour moi, les pensées sont là, et prennent le temps qu'il faut pour bien mûrir. On met le vin en fûts, et les mois coulent pendant que le vin devient bon à boire. Ainsi pour les pensées . . .

— Il faudrait les dire.

La fille regardait cette femme, infiniment plus belle qu'elle, et elle avait un frémissement aux narines, comme une vague peur dans le fond des yeux.

— Je veux savoir, dit-elle, pourquoi vous êtes devant moi, depuis quelques jours avec je ne sais quoi de mauvais dans le visage . . .

— Je te le dirai ... Attendre vaut son prix. La patience ... Même pour toi qui es d'en bas.

La fille cria, soudain hargneuse:

— C'est donc péché de n'être pas de la montagne?

— Ce n'est pas péché, c'est simplement mauvais. Alors tu ne peux voir comme nous voyons, comprendre ce que nous comprenons.

— Et pourquoi?

La femme haussa les épaules, mais resta devant la fille.

— C'est l'air, dit-elle, c'est l'air sec. Il y en a moins qu'en bas, alors je te vois qui respires. Du grand souffle, comme ça: han! ... han! ... Pendant que le souffle va, songe que le reste de toi n'est pas à son meilleur. Tes yeux se brouillent, et tes oreilles entendent mal. Et puis, tout au dedans, dans le cœur, il y a le sang qui ne coule plus de la même façon. Je le dis puisque c'est ainsi, et n'oublie pas mon âge. Toi, si le sang coule autrement que d'habitude dans tes veines, tu peux croire que c'est de l'amour, ou du désir, quand c'est tout simplement une manière d'être de ton sang.

— Je ne comprends pas, dit la fille.

La femme ricana sèchement:

— Ce n'est pas nouveau, tu comprends peu.

— Ça me suffit, à moi.

— Je répète. Tu crois à de l'amour, et ça ne serait après tout que notre air pauvre de la montagne, et ton cœur qui bat plus vite à cause de l'air.

— A cause de l'homme.

La femme pencha la tête de côté.

— Fabien? demanda-t-elle avec un sourire mauvais.

La fille éleva les mains, et les plaça à la hauteur de ses seins plats, en coupoles, comme pour se rappeler un geste d'homme.

Et elle regarda vers le ciel, et elle eut soudain un sourire qui lui transforma le visage hâve et sans beauté.

— C'est venu un soir, dit-elle d'une voix douce. Un soir.

La femme ricana de nouveau.

— Dans l'ombre! dit-elle, et son rire gras remplit la cuisine basse, alla se buter contre la pierre crasseuse de l'âtre au fond. Il fallait que ce soit dans l'ombre!

Alors la fille cria.

— Et même si je suis laide! Allons, regardez-moi! Vous me trouvez laide! Mais vous avez des yeux de femme, vous. Quand vous regardez Fabien, c'est avec des yeux de femme. Quand vous me regardez, c'est la même chose... Dites-moi, qu'est-ce que vous voyez?

— Toi.

— Non, pas moi, dit la fille Mes cheveux, qui sont trop lisses et trop gros, mes yeux trop hagards, mes joues creuses, ma peau jaune. Voilà ce que vous regardez. Mais savez-vous ce qu'il faut pour agiter un homme, le troubler, lui faire tendre la main vers le corps de la femme?

— Ces choses s'apprennent. J'ai l'âge.

— L'âge et le vieux Pascal pour conquête, nargua la fille. Allons donc!

La femme crispa le visage.

— Il y en eut d'autres.

56

— Soit, constata la fille, je suis laide. Laide comme un mauvais crapaud. Le corps laid. Et voilà qu'il se trouve en ce monde un homme pour aimer le crapaud, pour le trouver beau. Pour moi, l'homme, c'est Fabien.

La femme partit, lentement, et retourna s'asseoir à la table.

Elle regardait la fille toujours debout devant la fenêtre, son corps mince dans le jour bleu, les lèvres frémissantes, les yeux humides.

Puis elle dit d'une voix lasse, comme si la discussion la fatiguait:

— Fabien te regarde avec des yeux de chambre vide, de nuits solitaires, de jours dans les prés à moutons, seul avec la montagne et les pentes désertes. S'il était au village, et toi aussi ...

— Ce serait la même chose! cria la fille.

—Essaie. Je dis essaie, on verrait alors! C'est comme pour la pluie, hein? La pluie et le beau toit neuf de la remise. On dit que le toit est beau, solide, étanche. Le chaume est sain. Mais sans la pluie pour tout prouver, on ne sait pas. On attend la pluie de Dieu pour savoir ce qu'elle fera, si elle traversera ce toit, si elle ira temper la paille de la remise... Essaie voir pour Fabien, et les autres filles.

La fille ne bougeait pas. Elle fixait la femme de son regard triste.

— Vous voulez donc que je souffre, dit-elle, c'est votre désir à vous de me voir souffrir, de me torturer?

— Non.

— Alors pourquoi me parler de ma laideur, et de

57

Fabien? Me dire que ce n'est pas vrai, qu'il ne m'aime pas?

La femme ricana.

— On se mêle ainsi de vouloir régenter les gens. Surtout quand ces gens font des bêtises.

— Mais quelle est donc cette bêtise? Seulement vouloir aimer? Aimer avec tout, avec mes bras, et mon corps, et mon cœur et mon visage, et mes veines et mon sang? Pourquoi ce serait une bêtise, donc, cet amour?

La femme étendit les mains sur la table, et avança le visage en avant pour mieux vriller ses yeux dans ceux de la fille.

— Tu es trop laide pour aimer, dit-elle.

— C'est donc ça?

— Oui, c'est ça.

— Je suis trop laide pour aimer?

— A le répéter tu viendras à t'entrer l'idée dans la tête. Trop laide de ton corps et de ta chair.

La fille ricana à son tour.

— Donc, si vous aviez un fils, et s'il n'était pas beau, il n'aurait pas le droit de vous aimer?

— Ce n'est pas la même chose, dit la femme. C'est l'amour du sang, l'amour des origines de soi. C'est tellement partout et au dedans que ce n'est plus de l'amour. Comme l'écorce appartient à l'arbre. Serais-tu l'écorce de Fabien, toi?

— Je ne sais pas, dit la fille, d'une voix sourde. Je le crois.

— Ce serait risible. L'amour entre l'homme et la femme, c'est moins lié. Ils se séparent, les deux, et la douleur vient à s'en aller. L'enfant et la mère, ça ne se sépare jamais. Il meurt et la mère le sent encore tout chaud contre elle. Je te le dis, l'écorce de l'arbre.

La fille fit un geste du bras.

Elle le releva et le bras maigre brilla quelques secondes dans le soleil, puis elle le laissa retomber contre elle, mollement, avec un floc de la peau nue sur la robe fripée.

— Je suis l'écorce, murmura-t-elle. Pour Fabien et moi, c'est ainsi.

La femme frappa la table de sa grande main solide et bien en chair.

— Et tu n'en as pas le droit! Je le dirai tant qu'il faudra le dire. Tu n'as pas le droit de l'aimer ainsi. Et si tu le prends, s'il te prend, l'un de vous deux souffrira.

— Je souffrirai alors. Qu'importe!

La femme se retourna et regarda le fond de la cuisine, comme si elle cherchait quoi dire encore...

Puis elle regarda de nouveau la fille.

— Tu iras marcher avec Fabien, ce soir? demanda-t-elle.

— Oui.

— Et si je te le défends?

— Vous êtes maîtresse de mes heures du jour... Mais le soir...

La femme fut très calme.

Elle dit d'une voix toute simple:

— Alors, je renverrai Fabien.

— Vous le renverrez, dit la fille, et moi je partirai avec lui. Il n'y aura plus personne ici pour labourer les champs, et personne pour mettre au feu la soupe du midi.

— Il y aura d'autres engagés, dit la femme.

La fille secoua la tête.

— Nous sommes les visages du matin. Ceux qui se retrouvent tous les jours, et que vous avez oubliés, tant vous les avez vus. Nous partis, que vous reste-t-il? Une fois moi qui suis laide partie, et Fabien qui est fort parti aussi, que resterait-il de bon sur votre ferme?

— Le troupeau, la terre riche . . .

Il y avait une panique dans le visage de Bernadette.

On sentait une crise proche, un feu qui roulerait de sa bouche, une colère qui emplirait la maison.

Et la fille sentit aussi ce qui allait surgir, et elle trouva au fond d'elle-même, soudain, la voix et le geste, et la puissance dans le son des mots.

— Et le bras pour remuer la terre! cria-t-elle. Toute la richesse de votre bien qui partirait avec moi, la fille qui peine sans se lasser, et Fabien qui mesure tout le blé et toutes les avoines qui peuvent en sortir, et qui vous rend boisseau pour boisseau en vos granges et en vos remises. Fabien qui vous fait riche, et moi qui vous fait grasse, à vous laisser flâner le jour durant! Que resterait-il de tout ça si nous partions?

La femme se leva et marcha lourdement jusqu'à l'âtre.

Un instant elle se retourna et leva le bras.

Un geste comme si elle allait parler, mais elle laissa retomber le bras et baissa la tête.

Puis elle se reprit à marcher vers l'âtre . . .

— Mets la soupe au feu, dit-elle à voix basse. Il entrera pour souper bientôt. Il faut que la soupe soit chaude . . .

VII

Il s'etait passé quelque chose en l'âme d'Edith. Une révolte et un sursaut. La bête se dressait sur ses pattes d'arrière et battait le ciel de ses sabots ... C'était maintenant le temps des luttes et de l'amour à tout prix.

Elle fit ce que demandait Bernadette. Elle mit la soupe au feu, et attendit que Fabien vînt manger, que la Bernadette mange aussi, pour laver les plats, ranger les pots et les chaudrons.

Fabien sortit.

Alors Edith ricana, longuement, dans la porte de sa chambre, et elle jeta le tablier de cotonnade sur son lit.

Bernadette la regardait, de la colère dans les yeux, du dépit sur le visage.

Puis Edith sortit à son tour.

Elle traversa le pâturage derrière la maison, et s'en fut au ruisseau de la Gueuse, où Fabien l'attendait.

Autrefois, une errante qui était venue du pays des pleins soleils, une femme à la peau sombre, qui jurait par les saints et les dieux, qui avait mauvaise haleine et les pieds sales, s'était noyée dans ce ruisseau.

Sans que l'on sache comme cela s'était fait.

Elle avait passé une matinée à la forge de Coudois,

y faisant forger un anneau pour son balluchon, disait-elle, mais c'était pour le beau Coudois, cela était certain.

Donc une matinée à harceler l'homme, et à pencher devant lui son corsage large ouvert.

Or l'homme, même quand c'est Coudois qui a la belle Judith, est simplement un homme; et la belle errante, la Gueuse, comme on l'avait tout de suite nommée dans le hameau, devint une tentation.

Et Coudois fit des gestes.

Comme de l'embrasser, de la lutiner un peu, d'avoir les yeux fiévreux et la main sûre.

Et à ce moment entra la Judith de Coudois.

Le soir, la Gueuse partit du hameau, et monta vers le torrent pour traverser les crêtes et aller au pays de la grande neige, avait-elle dit.

Quelques jours plus tard Lorgneau, qui chassait le renard, trouva le cadavre noyé de l'errante, dans le ruisseau.

Personne ne chercha à savoir où avait été la Judith le soir du départ de l'errante, malgré que Vincent, dans la porte de la forge quand Judith y était entrée au mauvais moment, avait raconté de maison en maison ce qui était arrivé.

Depuis ce temps, le ruisseau porte ce nom, la Gueuse. Le ruisseau de la Gueuse, dont les sources sont là-haut dans la montagne, et qui devient plus bas un torrent, et enfin une grande rivière qui se jette dans la mer.

Valère, qui est allé à la ville une fois, dit que là-bas, il passe des bateaux sur la rivière, et qu'on y voit des ponts, beaucoup de gens qui pêchent sur les rives.

Mais ce sont là des histoires de Valère qui sont à croire ou à ne pas croire, suivant le vin pris ce soir-là par Valère ou par celui qui l'écoute.

Donc, la Gueuse.

Un bien beau ruisseau, au moment où il n'est que ça, et un fier torrent, quand plus bas il dévale les pentes.

D'abord, le ruisseau doux. La belle eau avec du chant dans ses remous. Vous descendez un mamelon, vous enjambez des rocs, et vous entendez ce petit bruit. Comme si ce n'était que votre joie de la vie qui est dans les oreilles, qui surgit du dedans, que vous entendez, que vous sentez. Ensuite vous savez bien que c'est plus encore, et que c'est le ruisseau là-bas, puisque vous voyez le reflet entre des herbes, et vous voyez le fil qui se déroule, l'eau qui coule sur la terre pauvre de la montagne, et qui lui caresse le flanc sec, et vous y sème de la richesse et la vie des plantes.

Large comme ça, avec seulement l'eau que l'on pourrait compter goutte à goutte, mais c'est ce qui fait le vert du vallon, et c'est ce qui fait le chant dans la montagne, et c'est assez pour que l'homme l'enjambe et tire de la joie seulement à le regarder ou à l'entendre.

Croyez-le. C'est la Gueuse. C'est ce qu'elle fait. A la terre sans germes et à l'homme sans chant.

La montagne est un mur. A venir du hameau, vous arrivez sur le grand plateau où est la ferme Loubron. Vous traversez le plateau, et voilà qu'il y a comme un début de pente, justement là, entre les rocs, et venant du mur de la montagne; à gauche c'est le ruisseau.

Là-bas, le long du mur, la pente à pic qui va à la crête. Vous voyez le ruisseau comme une chute. D'ici, il a l'air de tomber; puis il vient le long de ce plateau, calme, doux, en enlaçant les pierres, en chantant contre elles.

Plus loin, la pente cède sous lui, et il devient un torrent.

Il est grossi des vieilles pluies qui surgissent de la terre, et il devient un torrent.

Alors le chant n'est plus un chant, mais un triomphe. Un élan de son, une trompette qui clame de la puissance en plein ciel de montagne.

Et c'est martial, fier, énorme. C'est une victoire et un défi, et cela hurle dans le jour, dans la nuit, cela martèle les tympans.

Plus bas, il faut croire ce que dit Valère, et le torrent devient une rivière, avec des bateaux dessus, et des villes, et des ponts qui l'enjambent. Ce qui est bien tant mieux, et sort propice pour si beau ruisseau, rivière enfant qui sommeille dans son lit de sable et de pierraille, là-haut sur le plateau.

Or, quand partit l'Edith pour aller au ruisseau de la Gueuse, c'était justement là où ces mots indiquent, de l'autre côté du plateau, des champs plats de l'avoine et des orges cultivés, du seigle, riches à cause du ruisseau qui imbibe la terre, et pousse le jus de vie jusqu'aux tiges et dans les tiges, à travers les chevelures vertes et les épis aux bons grains.

C'était vers ce ruisseau qu'elle allait, en traversant le plateau, en disparaissant dans la baissière, pour aller dans les mousses, sur les rocs arrondis qui bordent le lit de la Gueuse.

Là où dans le soir sombre l'attendait Fabien, assis

sur une pierre moussue, patient, les yeux fixés vers le sentier d'où descendra la fille.

Et quand elle arriva, il alla au-devant, à pas rapides, les mains tendues.

Il ne dit pas bonsoir.

Il regarda et vit le visage de la fille, et il ne dit pas bonsoir.

Il vit la lèvre amère, la lueur dans les yeux.

— On a ce visage et la cause est mauvaise, peut-être de la souffrance? dit-il. Que s'est-il passé, la fille Edith?

— C'est Bernadette. Encore Bernadette et ses mots durs. Bernadette qui crie maintenant, et me hait.

— Qu'est-ce qu'elle a dit? Pourquoi donc te haïr?

Edith ricana.

— Soit, dit-elle, tu es homme, toi. Tu ne saisis rien. Une femme est une femme, avec la différence dans sa chair, mais pas dans son âme. Mais je te le dis que la différence est loin au creux du cœur. Et voilà que la Bernadette, elle t'aime. Elle t'aime et te veut . . .

— Pour me vouloir, je le sais. Elle a eu les gestes. Mais moi je ne sais pas si elle m'aime. Songe à l'âge.

— L'âge? . . .

— Le sien et le mien. J'ai trente ans, un peu plus. Elle en a quarante. D'aucuns disent cinquante.

— Mais son corps est jeune, et le vieux Pascal ne l'a jamais usé. Voilà le mot à dire.

— Alors disons qu'elle m'aime . . . Non! ce serait

trop bête. J'essaie, tu vois, de me dire qu'elle m'aime, et je ne puis pas y croire . . .

— Et moi je te le dis . . .

— Elle t'a parlé ce soir?

— Oui, avant le souper, au soleil tombant. Elle m'a dit que je n'avais pas le droit d'aimer.

Fabien fit une longue pause.

— Pourquoi t'enlever le droit? dit-il.

— Je suis laide, dit la fille.

— Elle a dit ça?

— Oui.

Les grenouilles chantèrent un coassement dans l'air noir. Et il descendit de la montagne une odeur de bois pourri, de terre humide, de sapins secs et de pierre.

La fille ravala sa salive et cela fit un bruit qui se mêla à celui du ruisseau caressant les rocailles.

— Disons que je ne suis pas belle. Dis-le, toi, Fabien.

— Non.

— C'est trois mots, comme ça: tu es laide.

— Non.

— Toi, tu es beau. La laideur te fait horreur. Tu crois que je craindrais d'être laide. Alors ça ne me fait pas mal. Je te le dis que c'est comme rien, de l'entendre dire. Hier, le mois dernier, oh! oui! . . . c'était un choc, et ça me saisissait le cœur. Mais aujourd'hui c'est comme rien. Pas plaisant, pas déplaisant.

Fabien eut un geste d'impatience, et il ouvrait les lèvres pour dire quelque chose.

Mais Edith secoua la tête.

— Non, dit-elle, non, Fabien. Il faut parler de

tout ça. Avant le reste, avant l'amour. C'est la fourche dans le chemin. A savoir par où prendre. Moi je me suis ouvert les yeux.

Il cria soudain, dans la nuit calme:

— Mais tu ne lui appartiens pas, à cette femme? Tu n'es pas sa sœur, sa fille, sa parente? Tu travailles. Chaque jour tu travailles. Alors elle doit être satisfaite. Elle dira n'importe quoi ... Qu'importe?

Edith s'était assise sur un talus de mousse, qui avait la largeur pour deux et la longueur pour l'amour.

Fabien vint à ses côtés, et il la prit par le corps, en la ramenant sur lui.

— Hein, qu'importe, fille Edith. Qu'importe ce que peut dire la Bernadette ... !

Mais elle se dégagea, et elle enleva la main de Fabien sur sa cuisse.

— Si tu parles du sang, dit-elle, je ne suis pas sa parente. Qu'importe alors, soit, puisque je ne viens pas des mêmes souches. Mais si tu parles de l'autre parenté ... c'est chaque jour, Fabien.

— Le travail?

— Le travail et la vie. C'est de se voir et de se parler, c'est de se sentir toutes deux à régner. Moi sur les petites choses, les plats et le pain de la huche. Elle, surtout sur l'achat et la vente, sur la maison même. Alors nous devenons liées.

— Tu l'estimes? demanda l'homme.

— Non, répondit la fille d'un air songeur. Mais c'est comme la pluie des jours sombres. On ne l'aime pas, mais à la longue on ne la sent plus, on

67

ne la voit plus. C'est devenu normal dans la vie, à n'y rien faire pour que le soleil luise.

— Je comprends sans comprendre...

La fille se retourna, et elle prit les deux mains de Fabien.

Au loin, dans un vallon, un loup hurla, puis le cri déchirant d'un chevreau égorgé fendit l'air.

— Tu comprends le principal. Je dis que nous sommes parentes, elle et moi, moi la fille laide et la Bernadette à la bonne chair, à cause qu'on couche dans la même grande maison, et parce qu'on est l'une à côté de l'autre. Je suis à elle. Pour elle, je suis une partie de la maison. Elle meuble la maison aux temps voulus. Moi, elle me donne un corsage, une chemise de toile, un jupon de laine. C'est donné sans plaisir. Parce que le temps est venu.

— Et pour toi? dit Fabien.

Il écoutait maintenant la fille, cherchant à la comprendre.

— Pour moi? Elle est le toit de la maison. Le toit et les murs, la solidité. On la consulte sur tout. C'est de la parenté d'ignorance. Je ne sais pas, moi, si le bouilli devra être servi ce soir-là... demain, par exemple. Je vais vers elle. Voilà la parenté.

— Ce n'est pas assez, dit Fabien. Pour dire que tu es laide, ce n'est pas assez.

— Voilà bientôt six mois que je suis sur cette ferme.

— Et puis?

— C'est six mois de dépendance, répondit sourdement la fille. Parce que toi tu ne sais pas ce que c'était avant, dans mon hameau, à la plaine. La vie morne, les coups.

Fabien sursauta.

— Les coups?

— J'ai passé l'âge, mais les coups venaient encore. Et la masure allait s'écrouler. Chaque jour, c'était une pierre qui tombait de l'âtre, qui venait s'abattre dans la marmite, ou c'était un ais du toit qui craquait, qui venait alors se réfugier à l'autre bout de la cabane, et on priait le doux Jésus de retenir le bois détaché, pourri . . .

— Il le retenait?

— Un homme venait, mon père, ou mon frère, et il plaçait un étai sous le soliveau. Et puis, il me battait.

— Toi? Pourquoi toi?

Edith se passa la main sur la tête, vis-à-vis les cheveux mal coupés.

— J'étais la guigne, le porte-malheur, le sort jeté sur eux. Voilà ce qu'ils disaient. Ils me battaient, mais ils ne m'ont jamais dit que j'étais laide. Cela me fut épargné. Donc je le savais sans le savoir. Maintenant, c'est autre chose. La femme Bernadette a parlé. Une femme s'y connaît.

— Dis pour ta vie! continua Fabien. Je veux savoir.

— La pauvreté, fit la fille. La pauvreté, la misère, le mauvais bouilli sans viande dans chaque marmite de chaque jour. Alors je suis venue à la montagne. Un soir, j'ai pris mes souliers de cuir et j'ai monté les pentes.

— Les tiens le savent, où tu es?

Elle sourit.

— Non. On le leur dira. Quelqu'un du hameau ira à la plaine et le dira! « Nous avons la fille Edith,

69

chez nous! » Il sera bien fier de le dire. Cela nargue. C'est un coup de sabot. Avec d'autres mots derrière, dans la pensée, sans les dire: « On a la fille Edith chez nous, parce qu'elle s'y trouve bien, chez nous. Ici, pour de vrai, vous n'auriez pas pu la garder, à cause que vous êtes de pauvres miséreux ... » Les mots donc, mais sans les dire. Et eux, à la plaine, ils comprendront tout ça, parce que le gars de la montagne aura son sourire fignolé, le sourire qu'ils ont pour venir à la plaine, et c'est pour ça qu'on les hait, nous ...

— Et nous, de la montagne, nous disons la même chose lorsqu'il en vient un de ta plaine, fille Edith. Seulement nous, ce n'est pas à cause du sourire, mais à cause de sa voix qui raille, de sa tête qu'il porte haut et fier ... Il n'a jamais eu les pentes à grimper, celui-là. Il marche en terre unie, plate comme ma main, sans effort. La tête se porte bien, haute et solide, quand les jambes n'ont rien autre chose à supporter ou à faire. Ici ...

— Donc je suis venue à la montagne, dit la fille d'une voix morne. Et au hameau on m'a dit que j'aurais du travail à la ferme Loubron ...

— Vincent t'a dit ça. Il en a parlé. Je l'ai su.

— Et il y avait du travail. Voilà l'histoire ...

Fabien chercha dans les yeux d'Edith.

— Mais avant, toute la vie. Les âges de vie: petite fille, plus grande, fille mûre et ses désirs, puis toi, enfin ...

Elle hocha la tête.

— Raconter ça? Décrire un pic de montagne après l'autre? Toujours pareil celui-là au précédent? Un pic, et deux et cent! Les jours furent des pics de montagne. Je te le dis. Que viendrait faire l'âge ... ?

Fabien s'adossa au rocher qui était derrière le talus mousseux.

— Je dis ça pour savoir.

— Ce que j'avais à dire a été dit.

Elle était retombée dans son silence coutumier, et elle jouait avec le bord de sa jupe, qui était haut sur la cuisse, et qu'elle rejoignait facilement de ses deux mains.

— Au fond, dit-elle soudain, la Bernadette peut me dire que je suis laide. En bas, on me battait, c'était pire ...

Fabien prit les deux bras de la fille, au muscle, plus bas un peu que les épaules, et il la secoua en criant entre ses dents:

— Mais ce n'est pas ta faute si tu es laide?

Longtemps Edith resta comme il l'avait laissée tomber, le dos sur la mousse, la tête renvoyée en arrière, la respiration haletante.

Puis elle dit doucement, et sa voix s'insinua jusqu'à Fabien, le fit sursauter:

— J'attendais que tu l'admettes ...

Il protesta:

— Je n'ai rien admis.

— Si, tu l'as dit, affirma la fille, les yeux toujours clos, le corps bien marié à la mousse fraîche. Tu as dit que j'étais laide. En détours, sans te douter que tu le disais. Mais tu l'as dit. Cela le signifiait ... « Ce n'est pas ta faute si tu es laide ». Voilà tes mots.

Fabien se retourna et vint tout contre la fille.

— Moi, je t'aime! murmura-t-il. J'ai du chagrin

71

quand tu parles de ta laideur . . . Je dis des mots comme ça sans savoir ce que je dis. Je t'aime.

— Je le sais, dit la fille.

Elle avait ouvert les yeux, et elle passait doucement ses mains sur le visage de l'homme, si près du sien. Et elle buvait son souffle.

Il la caressa avec trois mots.

— Tu es belle.

— Je le disais, soupira la fille. Toi, si tu me trouves bonne à aimer . . .

— Tu es belle, viens . . .

— Non, dit-elle fermement, non. D'abord la laideur, l'amour, ton amour, et ce que tu feras. Mes yeux sont ouverts. Avant, je vivais de rêve. C'est beau, le rêve. C'est du sang qui coule plus vite, c'est de la chaleur dans le duvet de la peau . . . mais il faut en sortir pour décider de la vie à venir. Je ne suis pas une fille que l'on aime toute la vie . . .

Elle repoussa l'homme, se redressa, se tint assise devant lui qui était maintenant accroupi, la regardant . . .

— Je ne suis pas une fille que l'on aime toute la vie, répéta-t-elle. Comprends-tu, maintenant, Fabien? Comprends-tu pourquoi je refuse, et je veux d'abord que l'on s'entende bien. Aujourd'hui, tu m'aimes. Mais demain, après? Est-ce que je puis me jouer? C'est du malheur. Je me fais sur la peau comme une marque. Plus tard, ce sera l'endroit où je mettrai le couteau pour la grande douleur, l'endroit où trancher. Ce sera le jour où tu ne seras plus là . . . Est-ce que je puis me faire ça à moi?

— A supposer, dit Fabien, que tu ne sois pas une fille aux joues pleines et aux hanches attirantes . . .

72

Le vent s'éleva et se mit à chantonner dans les sapins sur la pente. Le ruisseau coula plus fort. La lune descendit de la nuit, et l'ombre était froide.

Edith frissonna.

— A supposer tout ça, continua Fabien, ce n'est pas à dire qu'une sorte de beauté seulement est belle. On voit la beauté que l'on aime. Moi, j'aime ta beauté. C'est façon de voir. Je te vois belle. Belle dans le genre que j'aime. C'est dans la manière de voir, je le dis. On peut parler du ciel, des fleurs, du chant des oiseaux. Toi, qui es d'en-bas, de la plaine, tu aimes tout ça, mais autre chose aussi... Je ne sais quoi; il faudrait que je sois de ton sang pour le savoir.

Edith soupira, et vint plus près de Fabien.

— Au hameau, continua l'homme, on ne sait pas reconnaître la vraie beauté, ou la vraie laideur. On dit: « Tiens, la chose belle! », et c'est vrai, la chose est belle. Et puis on dit: « Tiens, la chose laide! », et c'est vrai, elle est laide, mais on n'a de ces dires que pour peu de choses belles, et peu de choses laides, et toutes les autres, celles qui sont vraiment la grande beauté du monde, on ne dit rien sur elles. Vois ce que je tiens ici...

Il avait une branche de saule à la main, il venait de l'arracher tout près, et il la tenait devant Edith.

— Vois ce que c'est, fille Edith. Seulement une branche de saule. Tu vois comme il n'y a, sur cette branche, que de l'écorce d'une branche, et rien de plus. Et pourtant, regarde, vois cette écorce, vois le grain, et le tissé, vois comme les veinules vont ici, et reviennent comme ça. Vois la couleur, et touche, touche à la douceur. Voilà la grande beauté. Pourtant, n'importe qui prendrait cette branche et dirait, en la rejetant le long du sentier: « C'est laid! » Tu as déjà entendu quelqu'un dire: « Mais voilà la chose la plus belle jamais vue! » Non, on ne dit pas ça. On la trouve laide, la branche de saule ... Moi, je dis qu'elle est belle. Comme je dis que tu es belle. C'est fou de voir le beau où il est? Dans la créature de Dieu? Dans la bruine, le vent, la pluie? Dans le soleil terne des jours d'automne et dans les rafales d'hiver? Dans ton visage, ton corps et tes yeux, Edith? Moi, je suis des montagnes. Ainsi, le ciel bleu et tout le reste, je le trouve beau. Mais il y a aussi la boue riche des dégels de printemps que j'aime voir couler dans les crevasses ... Ce n'est pas beau, de la boue. Pas pour des gens de la ville, mais moi, je trouve ça beau.

Edith sourit.

— C'est à ça que je te fais penser?

— Je dis mal les choses. Il y a des troncs d'arbre qui ont été frappés par la foudre. Des espèces de poteaux noirs, carbonisés, souvent tordus. Vus sans les voir, avec des yeux distraits d'étrangers, ce n'est pas beau. Pour moi, c'est beau. Pour nous de la montagne ... Ainsi, toi ...

— Ainsi moi, dit la fille.

— Je me suis engagé dans cette ferme, et je t'ai vue. Tiens, ce fut une étrange passion tout à coup. Un coup rapide au cœur. Une manière de te voir. Tes yeux sont grands et bruns, et tristes.

Elle secoua la tête.

— Je suis maigre.

Il protesta.

— Ton corps est frêle. Je voulais te tenir contre

74

moi, empêcher que toute la vie te fasse du mal.

— J'ai lu dans un livre où l'on parlait comme ça . . .

Fabien lui prit la main. Edith eut un frémissement.

— Je le dirai mieux quand j'y aurai mieux pensé, poursuivit l'homme. Donc je t'aimais. Alors toi tu dis que tu es laide . . . Ah! bon! j'écoute. Mais c'est à se demander . . . tout dépend des yeux . . . Je te vois belle.

— Un jour . . .

— Ce sera toujours la même chose. L'attirance demeure. Puis, en dedans, le cœur . . .

Maintenant, on ne voyait presque plus la lune.

Il y avait seulement une lueur qui rejoignait le vallon plus bas par la crevasse du Loup Gris.

La brise avait fraîchi, et maintenant une plainte montait de la plaine.

On entendait le rugissement sourd du torrent qui giclait sur les pierres, trois cents pieds plus bas que le plateau, là où la pente dévale vers la plaine.

Edith se colla contre Fabien, et l'homme eut le geste d'homme, avec ses bras et son corps, et se colla la femme contre lui.

La lune disparut complètement, et ce fut l'ombre pesante et froide qui enveloppa tout.

Une étoile clignota au ciel noir.

VIII

Plus tard, la fille rentra dans la grande maison basse adossée au roc, et elle fut surprise de trouver la cuisine déserte.

« La Bernadette se sera couchée, songea-t-elle, couchée avec sa rage de me savoir avec le Fabien . . . »

Edith aussi alla se coucher. Mais elle, avec un grand bonheur dans sa chair comme neuve, comme ravivée, comme éveillée et grouillante des désirs inconnus avant.

Epuisée, elle s'endormit en se couchant.

Elle n'entendit pas Bernadette qui descendit de là-haut, qui sortit, qui marcha dans la nuit sombre, qui chercha des yeux l'ombre de Fabien dans toute l'ombre, qui se tapit dans le chemin menant de l'étable à la maison et qui attendit que Fabien, ayant jeté le dernier coup d'œil aux animaux, vînt à son tour se coucher.

Et quand Fabien marcha dans le chemin, elle surgit tout à coup du buisson, et se tint devant lui, dans sa robe qui était une couleur dans le noir.

— Fabien? dit-elle.

Il s'arrêta.

— Oui. C'est Bernadette?

— Oui.

— Tu cherches quelqu'un?

— Toi.

Ce fut dit simplement, et elle ne bougea pas. Il eut un geste impatient et voulut passer.

— La journée a été dure. Laisse-moi passer, il faut que je dorme.

Mais elle rit doucement.

Fabien siffla entre ses dents, et se mit les mains aux poches.

— Oh! dit-il, oh! voilà donc . . . le chemin est barré.

Elle haussa les épaules.

— Evidemment, si c'est ton goût, tu peux pousser, me ranger, te frayer un chemin. Si c'est ton goût. Mais moi je veux te parler.

Il resta là, à la regarder.

— Que me veux-tu? demanda-t-il.

— L'histoire est nouvelle sans l'être. Je la raconte pour la bonne intelligence, dit Bernadette. Une manière d'aller de la vie, hein? Hier encore, pas d'amour. Je dis hier, en voulant parler d'il y a un mois . . . Puis la fille te plaît. C'est dans la nature. La chair et la peau.

— C'est possible.

— Possible qu'elle te plaise?

— Oui.

— Pourquoi?

Bernadette mordait dans les mots. Fabien sentait chez la femme comme une réserve de rage qui s'accumulait, qui allait soudain gifler, mordre.

Mais Bernadette se contint, et elle mordit seulement dans le son des mots et essaya, c'est à croire, de flageller Fabien, avec seulement l'âpreté de la voix.

— Pourquoi? répéta-t-elle devant son silence.

Fabien fut calme.

— Elle a bonne âme, bon cœur. Elle est vaillante. J'aime ses yeux. Elle est frêle.

— Ses yeux, dit Bernadette, c'est ce qu'elle a de beau. Autrement, c'est un grand corps sec, des os, de la peau rude, une bouche trop grande, et un nez bossu. Ses cheveux sont raides et lisses.

— Oui, dit Fabien tout simplement.

Bernadette eut comme une plainte rauque, comme de la joie du mot.

— Donc elle est laide, Fabien, tu l'admets!

— C'est possible.

— Dis-le.

— C'est possible.

— Et tu l'aimes?

Il inclina la tête, la secoua plusieurs fois de haut en bas.

— Oui, dit-il, je l'aime.

Bernadette était devant lui, penchée, le visage à un souffle du sien, les yeux fiévreux.

— Je te dis tout ça, et tu l'aimes?

Fabien recula d'un pas.

— Moi, ce que j'avais dit, c'est pour l'âme. L'âme compte. Le cœur, les pensées, la vaillance, le feu dans la vie. Vouloir faire de la vie, et savoir la faire, ça vaut la beauté.

Bernadette remonta d'un geste ses cheveux qui retombaient, et sa voix eut des douceurs.

La lune surgit tout à coup derrière une crête, vint plaquer son croissant au-dessus d'un pic.

— Vois, dit Bernadette, vois, Fabien. La lune qui coiffe le Grand Morne... C'est le temps d'un désir... J'ai le mien.

Fabien ne répondit pas. Il regarda la lune, regarda Bernadette.

— Nous n'allons nulle part, murmura-t-il. Ici dans

le noir, nous n'allons nulle part. A quoi ça servirait d'y aller, quelque part? J'ai l'Edith . . .

Bernadette eut de nouveau son rire doux de femme.

— Rit-elle comme moi? demanda-t-elle. Rit-elle comme une femme? Cela s'apprend. Il faut l'homme pour apprendre ce rire, la vie, les gestes, tout ce qui fait la femme. Jeune, j'étais belle.

— Tu l'es encore, dit-il. Personne ne le nie. Au hameau, on le dit . . .

— J'aimais le grand Colas, dit Bernadette. Le grand Colas du hameau de la Souche. Tu le connais?

— Oui, il est vieux, aujourd'hui.

Bernadette frissonna, mais elle ne referma pas l'échancrure de son corsage. Le froid de la nuit était là, et c'était le frisson . . . Ça ou la pensée de la vieillesse de Colas, mais elle n'eut pas un geste à part le frisson.

— En ce temps-là, il était jeune, dit-elle. Jeune et beau. Ah, comme il était beau, et fier portant! De quoi vous jeter contre le mur, pâmée . . . Je le voyais sans le regarder, par en dessous, parce que les filles ne lorgnaient pas les gars, en ces temps-là. Je le voyais, et je l'aimais. Lui, il venait visiter le père. Pour causer des avoines. C'était pour autre chose, on le savait. Puis, ensuite, c'est ma sœur qu'il a choisie. Moi, j'étais belle, et elle était laide, mais il l'a choisie, elle. Tu sais, au grand contraire, ma sœur et moi. Taille pour taille et jambe pour jambe . . . Moi, j'attirais. Tu peux comprendre comme elle était, c'est la femme de Colas.

— Oui.

— Je me suis dit, de ce jour, continua Bernadette

d'une voix sourde, que les femmes laides n'avaient pas le droit d'aimer, pas le droit d'enlever aux autres qui sont belles le pain de l'amour. Le pain et le fruit ... La semence et le fruit, si tu aimes mieux les mots durs, Fabien. Les femmes laides n'avaient pas le droit d'aimer ...

Fabien ricana.

— Ou d'être aimées?

— C'est le même mot, dit pour l'un ou pour l'autre, c'est le même mot.

Elle tordit ses mains et eut tout à coup un sanglot dans le fond de la gorge.

— C'est injuste! Fabien, c'est injuste!

— Tu trouves?

Mais sa voix était morne, et il ne regardait même pas Bernadette.

Il dit soudain, en relevant la tête et en ayant comme une passion dans le visage, dans la voix, dans les mots:

— Où donc regardes-tu, pour voir seulement de la laideur?

Il y avait une barrique non loin d'eux, qui était noire dans l'ombre, avec seulement les cercles de métal qui luisaient sous la lune.

Bernadette partit, et alla s'y appuyer.

— Elle a dit ça, aussi, murmura-t-elle. Aujourd'hui, Edith a dit ça.

Fabien la rejoignit, fut devant elle à son tour. D'abord Bernadette qui avait été devant Fabien, et voilà l'homme devant la femme, les poings serrés, la bouche amère.

— La jupe qui tombe mal, dit-il, qui tombe mal sur les jambes trop droites, ou le corsage plat, et puis le reste. Je sais. Les mains rouges, les bras secs, la peau jaune, les cheveux. Oh, et puis tout! Est-ce que ça compte vraiment? Je vois des fleurs qui sont comme ça. Pauvres d'allure, devant les roses sanguines. On en connaît de ces fleurs. Elles poussent dans les fentes de roc. C'est mince, et à mauvaise tige... Mais ces fleurs sont des fleurs, peut-être plus encore que les autres. Est-ce que tu m'aimes?

— Non, dit la femme d'une voix ferme.

— Répète-le.

La femme s'avança un peu, puis revint à sa position première. Elle eut une torture sur le visage, que la lune éclairait pleinement maintenant.

— Répète-le! dit Fabien.

— Non, dit-elle dans un souffle.

— A répéter, dit l'homme, c'est plus difficile de nier. Remarque, ce serait ridicule, à ton âge. Ton âge et le mien. Parce que ce sont les deux qui comptent...

Elle fut agressive.

— Tu as trente ans?

— Oui.

— J'en ai à peine cinquante...

Il avança la main, lui tâta la hanche, le sein, le bras...

Elle répéta, la voix calme:

— J'en ai à peine cinquante. Tu me comprends, Fabien?

La lune se dégagea complètement des pics. Sa lumière éclairait maintenant tout. L'étable non loin, basse, avec son toit de chaume, construite à dos sur un monticule qui avait autrefois fait partie de la montagne, mais qu'on avait tranché droit pour l'y asseoir. A gauche, en remontant un peu, et sur un plat, la maison, elle aussi adossée à la pente, mais la grande pente du flanc de la montagne.

La maison avait été noire depuis le début. Sombre. Seulement comme une tache avec le blanc indistinct des murs pour trancher. Et voilà que la lune est venue, et elle a révélé le toit de chaume pâle, et les murs blancs et le trou des fenêtres. On voit briller le marteau de fer doux sur le chêne de la porte.

Fabien est montré aussi par la lumière blafarde. Il est devant Bernadette, toujours, et il est pâle, les yeux fiévreux. C'est le combat pour l'homme. Car il y a la chair qui compte.

— Je me dis ces choses, murmura-t-il, parce que l'explication est pour toi, mais elle est aussi pour moi. Ce n'est pas le chiffre, Bernadette. Tu dis n'avoir que cinquante ans. Cela parle surtout du chiffre. On a la vie devant soi, ou derrière soi. C'est l'un ou l'autre. Hier ou demain, femme. Quand la vie est devant, on a les yeux fixés sur l'horizon, le menton avancé, les dents prêtes à mordre dans la bonne chair de vie. Quand elle est derrière soi, la vie ... on se retourne, on a les souvenirs ... Oh, tu comprends, Bernadette ... Mieux que je puis le dire, tu comprends.

Bernadette sourit.

— Avec la vie derrière moi ... car c'est ce que tu dis, déclara Bernadette, avec la vie derrière moi et cinquante ans d'âge, je suis encore plus belle que ta maîtresse.

La voix de Fabien cingla la femme, la fit reculer.

Il sifflait les mots, il les amincissait pour qu'ils soient des lanières.

— Plus belle? s'exclama-t-il, plus belle? Mais ce n'est pas d'être belle, c'est d'être femme. Une statue en beau marbre, c'est beau. Blanc pur, avec des rondeurs, de l'appui, comme ta peau et ton corps... mais ce n'est pas de la masse à retenir contre soi. De la masse vivante, grouillante, qui agit, qui est là, forte, à bonne odeur capiteuse de chair chaude... C'est du marbre. Même en étant beau, et en forme de femme, c'est du marbre, du froid, de l'inerte. Je peux te le prouver. Tu es belle? Soit. Cela est admis. Au hameau, dans tous les hameaux de la montagne, c'est admis. La Bernadette Loubron est une belle femme. Mais, encore que tu sois belle... il y a autre chose à dire d'une femme...

Fabien bondit sur elle, et il l'empoigna de ses bras musclés, et il l'attira sur lui d'un grand geste puissant, et il colla ses lèvres sur les lèvres charnues de la blonde grasse.

Et quand le baiser fut complet, que le souffle manqua à l'homme, il la repoussa et elle alla s'abattre contre la barrique, puis roula par terre.

Elle resta là, appuyée sur un coude, regardant Fabien sous ses cheveux défaits.

— Pourquoi ce baiser? demanda-t-elle.

Fabien ne répondit pas tout de suite, il haletait en la regardant, comme un bête soudain devant la proie.

Il grinçait des dents, et fixait la femme affalée dans l'herbe, ses jambes nues luisant sous la lune froide.

— Je voulais une preuve, dit-il. Une preuve et j'en aurai d'autres. Vient un temps où l'homme a besoin de preuves. Et la preuve compte pour toi aussi. Ta beauté et ta vie ne sont rien. A comparer à l'autre, à Edith et son baiser, tu comprends qu'elle vaille mieux que toi? Je t'ai parlé de la joie de créer . . . du feu . . .

— Et puis?

Bernadette restait là, immobile. Sa voix n'avait été qu'un souffle.

— Si tu savais, reprit Fabien, comme il y en a chez Edith, de cette joie de créer, de ce feu . . .

Bernadette se releva lentement.

— Et chez moi, demanda-t-elle, il n'y en a pas?

Fabien ne répondit rien.

Debout devant lui, Bernadette, frémissante, cria soudain:

— Et chez moi, Fabien? Tu ne dis rien? Mais tu l'aimes donc bien, cette Edith qui est laide?

Fabien inclina la tête calmement.

— Oui.

— Assez pour faire des bêtises, hein, Fabien? Assez pour ça?

— Oui.

— Tu tuerais pour elle, Fabien? Ferais-tu ça?

— Oui.

La Bernadette eut un immense ricanement.

— Il faudrait trouver qui tuer, Fabien, dit-elle. Tuer, quand on aime, c'est tuer un rival . . . Mais qui serait un rival, Fabien? Qui voudrait de cette fille, à part toi? Qui voudrait d'elle?

Fabien regarda la femme bien en face, et ses mots tombèrent tranquillement dans le soir clair.

— Ce serait un rival, Bernadette . . . Un rival . . . ou l'obstacle.

85

Il se fit un long silence.

Un hibou hulula au loin, et un renard glapit.

Dans l'étable, une génisse eut un meuglement et piocha sur le bois au son sourd.

D'une voix qui était devenue un souffle, Bernadette murmura :

— Je te comprends, Fabien. Je te comprends maintenant. Il s'agissait que je te voie les yeux comme je les vois... Tu tuerais un rival... Soit, s'il y en avait. Mais tu tuerais l'obstacle aussi. L'obstacle entre toi et l'Edith. A la faveur du soir et du noir, tu tuerais l'obstacle... moi, par exemple. Hein, Fabien? Tu me tuerais?

Elle cria soudain:

— Tu me tuerais, Fabien, c'est ce que tu veux dire?

Et, simplement, Fabien répondit:

— Oui.

Puis il s'avança, étendit ses bras aux bons muscles et ses doigts encerclèrent la gorge de la femme, le cou potelé, et il serra.

Plus tard, quand elle fut morte, il enleva ses mains et fit jouer ses doigts pour assouplir les muscles.

Il se pencha, jeta le cadavre de la Bernadette sur son épaule, et il alla le cacher derrière la remise. Il y avait un tas de planches pourrissant là.

Il le mit dessous.

— Ce sera pour pourrir ensemble, murmura-t-il. Le bois et la femme. Alors ils se rejoindront dans la nature, la plante de Dieu et la femme de Dieu.

Puis il cracha sur les planches, et s'en fut à la maison.

IX

Dans la maison, Fabien se dirigea vers la porte de la chambre d'Edith sur le pan du fond.

Il ouvrit l'huis de bois dur qui eut un long grincement.

La lune entrait par la fenêtre, et venait éclairer la chambre avec son grand bahut, et la chaise contre le mur, le lit à courtine où dormait le long corps mince d'Edith.

Fabien marcha vers le lit, et retira les draps.

Edith, nue, dormait sur la toile propre.

Fabien la secoua, la redressa dans le lit.

— Il faut que je te parle, dit-il, c'est grave, et il faut que je te parle.

Edith ramena le drap pour se couvrir, regarda Fabien d'un air étonné.

— L'homme? dit-elle, l'homme, que fais-tu ici? . . . La Bernadette . . .?

Elle voulait dire: « La femme est en haut. Elle saura que nous sommes l'un à l'autre . . . Il faut pas qu'elle sache . . . »

Et elle se couvrait, et elle regardait vers la porte large ouverte, la cuisine où brûlait encore la lampe, l'escalier menant à l'étage.

— Il s'agissait de prouver, dit Fabien. Je te parle sans danger. La Bernadette n'est pas là-haut. Il s'agissait de prouver. C'est une suite de preuves dans la vie. On vit en se prouvant les décisions, en se prouvant les actes. Ai-je bien fait... Voilà la question... Est-ce que je dois faire ainsi? On arrache la tige d'avoine histoire de voir si le grain a germé tel qu'il le devait. Moi, je me suis prouvé l'amour pour toi...

Edith eut un doute qui lui traversa le visage...

— Où est-elle? Qu'as-tu fait? Pourquoi Bernadette n'est-elle pas en haut?

Il ne répondit pas.

Nerveuse, Edith répéta:

— Où est-elle?

Il montra dans la direction de l'étable, de la remise.

— Là-bas.

— Où?

— Derrière la remise aux outils, sous le tas de planches.

— Qu'est-ce qu'elle fait là?

— Elle est morte.

Edith n'eut qu'un cri, une longue plainte qui gémit dans la chambre noire.

— Fabien!

Mais il eut un geste d'impatience, marcha trois pas en rond dans la pièce, s'épongea le front, et il vint se placer devant le lit où Edith était toujours assise, le drap ramené contre son corps décharné, les yeux hagards et brillants qui cherchaient à scruter chaque pore de la peau de Fabien, pour comprendre...

— Je te dis que c'était une preuve, répéta l'homme. Ainsi, en la tuant, je savais que malgré tout mon amour pour toi était fort comme la vie même, et la mort. Je ne craignais plus rien, à cause de toi. C'était une preuve.

— Nous aurions pu partir, murmura Edith, traverser les pics, aller loin d'ici.

Mais il lui prit les épaules nues, serra la peau, fit dans la chair deux larges marques rouges.

— Et je me serais toujours demandé la force de mon amour? dit-il. La vraie force. La valeur de vie ou de mort? Elle parlait mal de toi, donc elle est morte, et moi je puis vivre mieux et en pleine paix.

Edith sanglotait.

— C'est le sang, Fabien. Tu as assassiné la femme . . .!

— Et puis? Je te dis que c'était une preuve. Il fallait que je sache si je t'aimais assez pour de pareils gestes. C'est l'explication. Et toi, la fille, si tu restes avec moi, si tu te lèves de ce lit, et si tu viens à mes côtés, et dans mes bras, ce sera ta preuve. Si tu consens à le faire, malgré le crime, malgré la femme morte et le sang sur mes mains, ce sera à cause de l'amour, et seulement à cause de l'amour. Tu auras montré que ton cœur est aussi fort que le mien . . .

Elle ne bougea pas.

Elle regarda Fabien.

Il répéta:

— Si tu viens comme je t'appelle, ce sera la preuve . . .

Il recula, s'en fut près de la fenêtre.

Edith ne le quittait pas des yeux.

C'était le saut à faire. Accepter le crime, posséder l'homme . . . Refuser le crime, et alors Fabien quitterait cette chambre, sa vie, tout. Elle serait seule. Voilà le combat.

Puis, longtemps après, à Fabien qui était toujours devant la fenêtre, sa silhouette carrée qui était la vie même et le but pour la fille, Edith demanda:

— Si je vais à toi, ce sera la preuve, as-tu dit?

— Oui.

— Alors fais-moi un signe, Fabien. N'importe lequel, avec ta main, pour m'appeler, pour me dire d'aller à toi . . .

Il leva le bras, et elle vit le signe contre la lueur de la fenêtre, un signe de la main et du doigt, un signe lent.

Alors elle repoussa les draps, se leva et marcha vers Fabien.

Et l'homme étendit les bras en venant à sa rencontre . . .

X

QUAND, AU PETIT JOUR, Fabien s'éveilla, il se leva doucement, sans bruit, pour qu'Edith à ses côtés continue à dormir pesamment.

Il n'y avait qu'une pénombre dans la pièce. Pas encore de fort soleil, ou même de lumière pleine. Seulement la demi-lueur qui venait de l'horizon et qui jetait de la fantasmagorie sur toutes les choses de Dieu.

Fabien tourna dans la pièce, de l'indécision dans les gestes, le front plissé.

Il s'appuya un instant sur le cadre de la fenêtre, regarda la montagne, les animaux dormant encore dans un pâturage proche.

Puis il revint au bureau, prit sa pipe laissée là la veille avant de se coucher près d'Edith, et l'alluma.

La première bouffée sembla le calmer, car il alla s'asseoir, la tête entre les mains, les coudes sur les genoux, sur la chaise au pied du grand lit.

« Voilà! songea-t-il, voilà ce qui est à faire. »

Et il se leva, se vêtit rapidement, et sortit.

Il traversa la cuisine silencieuse, affreusement déserte, maintenant que plus personne ne viendrait du haut de la maison, et seulement Edith qui sortirait de la chambre du bas, qui marcherait solitaire sur le parquet de terre, qui vaquerait aux choses de la vie de chaque jour.

Fabien traversa rapidement la cuisine et sortit, au grand dehors du matin doux.

Quelques instants encore, et avant d'aller plus loin, il se tint au pas de la porte, buvant de l'air, humant les senteurs, cherchant à reconnaître les bruits du tôt-matin.

Il était pâle, et il avait mal dormi, alors il avait une lourdeur dans le geste, une lassitude dans les épaules. Il se tenait courbé, comme écrasé par un poids.

Une espèce d'angoisse l'enserrait, le tenait là, s'agrippait à ses poumons.

Soudain il eut comme un cri sourd, ramassa une pierre le long du sentier d'entrée, et la lança de toutes ses forces contre la remise.

La pierre fit un bruit sec qui se répercuta contre le mur de la maison, et la remise oscilla sous le choc.

Puis Fabien se mit à courir.

Le long du sentier, en contournant la remise, et derrière, jusqu'au tas de planches pourries sous lequel était le cadavre de Bernadette.

Fébrilement, Fabien se mit à rejeter les planches, en grands mouvements puissants qui faisaient voler le bois humide.

Puis il mit au jour le cadavre, la Bernadette maintenant sans vie, couchée comme elle avait été jetée, sur le dos, les yeux ouverts et fixes, la bouche ouverte, le visage bleu par la strangulation.

Fabien gémit, mais il n'arrêta pas le travail commencé. Il empoigna le cadavre à pleins bras, et se le jeta sur l'épaule.

Il fallait faire vite. Bientôt, le père Dauvois descendrait les pentes, comme il le faisait tous les matins, pour aller au hameau boire du vin toute la journée. Et il passerait le long de la Gueuse, en venant de sa cabane, tout en haut de la montagne.

Pour ce que Fabien voulait faire, il fallait être seul, sans témoins qui raconteraient l'histoire.

Déjà le soleil caressait les crêtes, les bordait d'or.

Fabien, la Bernadette bien campée sur son épaule, descendit le sentier derrière la remise, passa devant l'étable, prit par le chemin de lisière, et traversa le grand plateau.

Là-bas, tout au fond, il y avait la Gueuse, et le courant fort, les rapides dans la gorge, la chute, et tout en bas, sur l'autre plateau, et avant la dernière chute, le hameau sur la berge.

Mais on ne voyait pas le hameau d'ici, et on ne voyait pas la chute. Seulement le début des rapides, et la course accélérée du courant.

A mi-chemin, le cadavre de Bernadette se mit à peser lourdement sur l'épaule de Fabien, et l'homme dut ralentir la marche. Mais il songea tout à coup au père Dauvois qui viendrait, à d'autres aussi qui pourraient bien passer près de la Gueuse, et le voir; alors au lieu de continuer la marche lente qu'il venait d'adopter, il se mit à courir, en trébuchant, en gémissant sous l'effort.

Arrivé sur la berge, il projeta la Bernadette dans les eaux de la Gueuse, et il tomba lui-même sur le sable, n'en pouvant plus, haletant, une grande obscurité dans les yeux, le corps en sueur.

La Bernadette frappa l'eau sans couler, l'eau terne de l'avant-soleil, avec un ploc rebondissant qui fit gicler des gouttelettes jusque sur Fabien affalé dans le sable doux.

93

Puis le cadavre coula à pic.

Longtemps, Fabien regarda l'eau qui avait englouti la Bernadette, espérant qu'elle ne resterait pas là, qu'en une dernière vengeance elle ne le forcerait pas à descendre au hameau, jouer un rôle encore plus difficile que celui prévu, celui qui lui restait à jouer.

Il se releva, les jambes molles, les genoux flageolants, et il s'approcha de l'eau.

Il voyait le milieu du ruisseau, d'ici, et le soleil qui montait derrière les crêtes commençait à jeter des lueurs plus fortes, à jeter du brillant sur toutes les choses.

Pas tellement cependant que Fabien ne puisse voir, entre deux eaux, le cadavre aux longs cheveux blonds, tissu collé à la peau, qui flottait lentement vers les rapides . . .

« Vers les rapides, songea Fabien, et ensuite la chute, le grand élargissement, l'eau peu profonde, le hameau . . . Là, il sera certainement vu . . . »

Devant le hameau, la Gueuse formait comme une espèce de grande baie calme, un repos après les rapides et la chute, et le niveau de l'eau baissait.

On distinguerait certainement la masse inerte du cadavre . . .

« C'est ce que je veux, se répétait Fabien. J'ai ce que je voulais avoir . . . »

Puis il revint à la maison.

Il entra dans la cuisine et trouva Edith debout devant l'âtre, les yeux lointains, le visage impassible.

— Je me demandais où tu étais, dit-elle. J'ai regardé par la fenêtre pour voir si les portes de l'étable ou de la remise étaient ouvertes . . . mais elles étaient fermées.

Cela n'était pas une question, ni une angoisse. Elle parlait sans rythme dans la voix, sans mélodie. Seulement un son plat, qui faisait des mots sans leur mettre de beauté.

Fabien hocha la tête.

— Je viens du ruisseau, là-bas.

Un instant Edith eut un éclair d'intérêt dans le visage, quand son homme mentionna le ruisseau, puis elle redevint impassible.

Fabien cria soudain:

— Mais demande-le, dis quelque chose, ne reste pas là, immobile!

Edith le regarda, les yeux pleins d'une souffrance subite.

— Je ne sais plus comment penser, ni quoi penser, Fabien. Tout a été dit, hier soir . . . Ce matin, je ne sais plus rien . . . et je ne veux plus rien savoir, peut-être . . .

Fabien se mit à parler très vite, se libérant l'esprit, parce qu'il fallait dire ces choses, que cela devenait nécessaire.

— J'ai songé au hameau, dit-il, à la punition d'un crime, à notre vie, à tout. Alors, avant le soleil levé, avant que ne passe le père Dauvois, ou que ne viennent d'autres du hameau, j'ai pris le cadavre de Bernadette, et je l'ai jeté dans la Gueuse. Au hameau, on le découvrira et on viendra ici. Nous simulerons l'étonnement.

Edith étendit les mains devant elle. Un geste étrange, sans but.

— Je jouerai le rôle, dit-elle, puisque c'est la seule chose à faire.

Et elle ne dit plus rien.

Fabien resta silencieux de son côté, mille choses dans la tête, mille réponses, mille phrases, mille idées, mais aucun mot, aucun son pour dire les idées ou composer les phrases.

Il regardait Edith, et il cherchait dans sa tête ce qui serait la chose à dire.

Mais comme il ne la trouvait pas, il restait silencieux, immobile devant la fenêtre, le dos à la lumière, le visage assombri par le halo de soleil autour de lui, pendant qu'Edith allumait le feu de l'âtre, y mettait chauffer la grande marmite où était le gruau de la semaine.

Puis, Fabien bougea.

Il alla vers l'armoire, y prit le sucrier et le pot de lait, et il les mit sur la table. Puis il prit les plats sur la tablette en dessous de la table, et en posa un à la place d'Edith, un à sa place à lui.

Distraitement, il posa un plat à la place où Bernadette mangeait tous les matins, et vit Edith qui le regardait, la main sur la bouche, un grand cri derrière la main.

Alors Fabien hurla un blasphème, et il jeta le plat de trop par terre où il se fracassa, puis il sortit en courant, prit par le sentier et entra dans l'étable.

Edith, accroupie par terre, ramassa méthodiquement les miettes de porcelaine.

Puis elle jeta le plat brisé dans l'âtre et prit une autre assiette dans le bahut, et la plaça sur la grande table, à la place où toujours Bernadette avait mangé, au bout du meuble et face à la fenêtre.

« Nous lui devons au moins ça, se dit la fille, d'avoir son plat sur la table encore ce matin. De voir son bien une dernière fois. D'être parmi nous. »

Elle ne s'expliquait pas ce besoin de voir le plat bien en place, ne comprenait pas que c'était peut-être le commencement du remords, ou le désir de réparer l'acte accompli trop vite.

Devant la table, Edith se tint droite, mains aux hanches, les yeux perdus. Puis elle secoua la tête et vint enlever l'assiette qu'elle mit cette fois au bout opposé de la table, dos à la fenêtre pour qui aurait mangé là.

« Ainsi, songea-t-elle, en la plaçant bien droit entre le couteau et la fourchette, ainsi! »

Puis elle dit entre ses dents:

— Il faut le plat sur la table. Il le faut là, devant nous. On ne peut tout briser, enlever une vie, comme ça, d'un coup. Le plat doit rester là. Pas à sa place, peut-être, à cause des champs cultivés et de tout ce qui serait du souvenir pour la pauvre femme. Mais ici, parmi nous, encore parmi nous. Dos à la fenêtre, pour ne rien montrer du passé...

Elle songea à Fabien qui briserait peut-être encore l'assiette de grosse faïence, comme il avait brisé l'autre. Mais elle haussa les épaules et laissa la nouvelle assiette en place.

Les lèvres minces, Edith sortit au grand soleil, avec dans son sein un besoin de soleil, d'espace, d'air pur, de montagne et de pâturages paisibles.

Elle vit Fabien qui travaillait dans un champ, non loin. Elle alla le trouver, travailler à ses côtés.

— Le dîner peut attendre, dit-elle à l'homme en le rejoignant. Moi je n'ai pas faim.

— Moi non plus, dit Fabien.

Et ils se mirent au travail, silencieusement, n'entendant même pas les sons de la terre vivante autour d'eux.

97

XI

Karnac, qui est le hameau de ce récit, est tel que tous les hameaux de toutes les montagnes du monde.

Il est pauvre et ses toits sont bas.

Vingt, trente masures, des cabanes, en mauvaises planches disjointes pour la plupart, avec la maison de Sylvestre, le maire, celle de Coudois le forgeron, de Boutillon et de Valois le cordonnier, qui sont meilleures — c'est beaucoup dire — que les autres.

Les planches sont moins disjointes, il y a de la chaux sur le noir ou le gris du bois ravagé, pour les rendre meilleures.

D'abord, les pics, les sommets tout là-haut, et de tous les côtés. Des pentes abruptes, des caps qui s'élancent, des descentes vertigineuses. Puis le grand plateau étroit où est la ferme Loubron. En contre-bas, un autre plateau, plus étroit encore, moins long, auquel on accède, de la plaine, par un chemin en lacet.

Karnac est sur ce dernier plateau, le long du lit de la Gueuse qui tranche le roc et la terre et la mousse veloutée et verte.

Donc le hameau sur ce plateau, et plus bas la pente qui descend plus doucement, en vallons et en escarpements, une chute vers la plaine qui s'étend, longue comme le bras de Dieu, devant la montagne. C'est qu'ici finit la chaîne et commence le pays plat des gens que ceux de la montagne redoutent, les gens de la plaine, grands, arrogants, minces, narquois.

Ici, dans les pentes, ils sont rabougris, les hommes qui peinent pour y faire pousser le mauvais grain. Et les femmes sont grasses de hanches. Ceux de la plaine, par contre, sont minces. Ils n'ont pas l'effort de marcher, de grimper, de se cramponner aux escarpements, pour hisser le corps à souffle et à sueur.

Ils sont cinquante dans le hameau. Cinquante ou plus. Des hommes sombres, sans grands rires, et des femmes.

Agrippés au roc, ils vivent là, malgré la mauvaise terre pauvre, malgré la misère et la vie dure.

Valois et Sylvestre, Lorgneau la Brute, tellement plus grand qu'eux tous qu'il en est remarqué, grand presque comme ceux de la plaine. Et Boutillon, Daumier qui rit facilement, Valère qui avait marié la Charlotte de Calmus, morte la nuit de noces d'une maladie de fatigue prise à la ville alors qu'elle faisait le métier que l'on sait.

Et la femme Valois, la mère Druseau vieille et plissée, qui a la sagesse et le vrai mot pour chacun qui le lui demande. Les filles de Lorgneau, les bessonnes de Valois qui se passent d'hommes, et on le sait dans le hameau.

Vincent-la-grosse-tête et Hyacinthe qui est borgne. Puis, dans la montagne, sur les grands plateaux, celui de gauche c'est Breton Mourgnan, un nouveau venu qui ne veut point dire d'où il vient, mais qui fait vivre, à même de bons pâturages, d'affreuses vaches maigres . . .

100

— C'est pour la viande, dit-il. Elles coûtent moins à mener à l'âge, et je les vends bien . . .

Puis sur le plateau de droite, celui du ruisseau de la Gueuse, la ferme Loubron.

Et voilà bien la fierté du hameau. Et on se souvient d'un qui se nommait Charlemagne et venait de la plaine et qui avait une fois, au cabaret de Justin, le fils Boutillon, voulu se gausser des cultures de la montagne. En bonne part, avec de l'ironie bonasse qui ne mordait pas du tout, qui faisait seulement chatouiller. Et voilà que Lorgneau, la brute, le mauvais qui a des sursauts de colère à ébranler les rochers, s'est levé et a brandi son poing sous le nez de l'homme.

— Nous sommes de mauvais fermiers? criait-il. Tu dis ça parce que t'es de la plaine, et un ignorant, et une âme noire, et un cœur de salaud qui ne sait pas reconnaître les sous que l'on te paie pour du mauvais lard et des haricots piqués de vers! Prends la ferme Loubron, et trouve meilleure terre en ton pays maudit, où il n'y a que du vent et de la poussière . . .

Ceci dit, il assomma le Charlemagne, avec un coup si fort qu'il le tua presque, et la femme Valois dut soigner cet homme durant un mois avant qu'il puisse mener pied devant pied et retourner là d'où il venait, pour ne plus jamais reparaître.

Voilà qui est la ferme Loubron.

En vérité de Dieu, c'est belle terre riche. Comme si c'était un joyau serti dans du mauvais plomb, allez! Histoire de savoir que c'est un plateau. Grand à cultiver tant et tant, à garder trente têtes de bétail, à faire du foin pour nourrir ces bêtes, et du grain pareillement; à nourrir des porcs pour la viande et le marché, et en tirer des sous à pleins sacs. Un bon sol riche. A cause de la Gueuse, qui vous arrose tout ça bien calmement, qui ralentit, dit-on chez les vieux, tout juste pour que la terre soit fertile et bonne.

Et cela se prouve, car voyez la Gueuse qui se jette au bas du pic rocheux, et qui s'élance comme trente chevaliers de guerre; et tout à coup, cent verges plus loin, le bon lit doux, le sable, le petit pas de l'eau qui n'est plus pressée. Tout juste comme si elle ralentissait. Et les vieux le disent en le sachant bien.

Le vieux Boutillon, père du pingre, allait souvent sur le plateau de Loubron, et il regardait la Gueuse.

— Je te dis, Loubron, avait-il déclaré à l'homme, quand celui-ci était encore vivant et avait trouvé Boutillon à contempler... je te dis que voilà l'eau-miracle et que tu devrais remercier Dieu qui lui mène le courant de cette façon. Sans ralenti, ta terre ne vaudrait pas plus que les mauvaises terres des fonds de vallon... Mais ta terre est riche parce que la Gueuse prend son temps à y passer, sur ton bien.

Et Loubron le savait bien.

Alors donc, dans le hameau, une grande admiration pour cette terre, riche, fertile, la fierté de Loubron et de ses gens.

Quand Pascal Loubron mourut, d'avoir peiné au soleil et ensuite bu l'eau d'un puits fermé, que ça lui a donné une colique qui l'a cloué sur le lit pour en mourir, dans le hameau on se demanda ce qui arriverait.

D'une cabane à l'autre, car elles sont toutes ensemble, collées comme pour se garantir du froid et
du vent, agglomérées en nid, en bouquet, le long du
chemin étroit qui les traverse, d'une cabane à l'autre ce fut un grand deuil.

On vit pleurer la femme Valois, qui avait toujours
eu du penchant pour le Pascal. On vit pleurer la
mère Druseau, mais elle, c'était pour autre chose.

Elle songeait à la Bernadette, maintenant seule . . .
et elle dit:

— Songez à ça . . .

(Il y avait dix commères autour d'elle, et là-bas,
on voyait six hommes portant la bière de Pascal, et
le cortège derrière qui suait au gros soleil, à grimper la pente pour aller porter le Loubron en terre.
C'était un jour bien gai, avec des oiseaux. Et ça
vous donnait comme de l'irréel à cette mort, du
beau et du chantant. A ne plus craindre la mort. A
n'avoir aucun souci du Grand Saut. Et la mère
Druseau le dit . . .)

— Songez à ça, dit-elle donc. Beau avec beau.
Le beau Loubron qui part en ce beau jour. C'est un
hommage. Songez aussi à sa femme . . .

Elle se tamponna les yeux.

— C'est à sa femme que je songe. La Bernadette
est encore jeune, et elle est belle. Puis elle devient
riche, et de bonne proie. Il en viendra pour lui
prendre sûrement ce qu'elle a. De corps et de biens.

Et une des commères, la femme Boutillon, approuva.

— C'est ce que je dis aussi. C'est ce que nous
disons toutes. Bien dommage que ce soit ainsi.

Et toutes les têtes firent oui.

— J'en tiens à Bernadette, dit la mère Druseau. Elle a bonne tête. De la chair, de la tête. C'est la solidité d'une femme. Elle a les deux. Elle ne se jettera pas dans le feu . . .

Mais la femme Valois, jolie encore, malgré deux filles d'âge aux plaisirs, leva le doigt . . .

— Tut! tut! dit-elle, ce qui fait une femme, hors la chair et le reste, c'est le cœur. Et le cœur joue de mauvais tours. La Bernadette pourrait bien y passer, au coup du cœur. Si elle se met à aimer, vous croyez qu'elle va choisir? Il en viendrait un avec de beaux habits et la voix douce, et le miel dans tous les gestes et les mots . . .

Elle jeta les bras au ciel.

— Allons donc. Il faut songer à ça . . .

Et cela continua. En plaignant Bernadette, mais en craignant aussi pour les jours à venir.

Car dans ce hameau où la misère se vit ensemble, et rien n'est caché qui est de l'un ou de l'autre, dans ce hameau où la richesse de Loubron est une fierté, et la beauté mûre de la Bernadette double fierté encore, on s'inquiète de cette femme restée seule.

Sans besoin de l'inquiétude, remarquez. Sans besoin aucun, et les semaines et les mois suivants le prouvèrent.

La Bernadette se trouva un homme engagé. D'abord ce fut le neveu Daumier, un fier gars qui vient des pics, et celui-là fit le travail. Toute une récolte et longtemps dans l'hiver. Puis il partit, et alors Bernadette engagea Fabien, qui était, lui, de Karnac.

Tout ceci pour parler de Karnac et de ses gens.

Pour parler de ce hameau bâti à même la montagne, où ils vivent et meurent, unis et se complétant les uns les autres, soupçonneux de ce qui vient de loin, sédentaires dans leur géographie à deux horizons, la montagne, et le bout de la plaine que l'on voit à cent milles, par temps clair.

Gens rudes et simples, sans demi-haine ou amour subtil. Des sentiments tranchés, des désirs ou l'indifférence, et les désirs avec des gestes, l'indifférence aussi.

Quand Daumier a voulu de la fille Lorgneau . . .

Quand Lorgneau a tué la femme qui avait tué son petit . . .

Quand Boutillon a tué Ambroise qui était son engagé . . .

Quand les bessonnes Valois ont décidé de se passer d'hommes . . .

Quand tout ceci est venu, l'acte a été fait, d'un coup, sans discussion, sans remords, en gardant le visage sincère de tous les jours, parce qu'ainsi devait se vivre la vie.

— C'est le vent, a dit Coudois. C'est le vent, et la pluie froide, et la mauvaise misère. Nous avons nos idées qui sont'à nous, et qui sont de notre âme simple. Des idées en lignes droites, et sans angles, sans dessous. De l'amour ou de la haine, de la vie ou de la mort . . . Et qu'est-ce que la mort?

Ils ne la craignent pas.

Chaque jour est un pas de plus, et l'avalanche peut s'abattre, un homme trébuche et va rouler trois cents pieds plus bas.

On a vu Daumier qui labourait, et ses deux bœufs roux qui ont roulé hors du camp longeant la falaise, et qui se sont fracassés dans un ravin, on ne sait plus combien de pieds plus bas.

On a vu ça. On a vu la mort, alors la mort n'est pas à craindre. Et la vie?

Probable que la vie est plus à craindre que la mort.

— C'est la ligne droite, répète Coudois. Tenez vos pensées ainsi, alignées, dirigées vers le but qui est devant vous, bien visible, et vous serez comme nous de la montagne.

Un homme de la ville, de la grande ville qui est loin dans le pays du grand fleuve, était venu, avec du papier et un crayon, et il questionnait les gens de Karnac, et il notait dans son cahier ce qu'ils disaient, et ce qu'ils avaient fait . . .

Et c'est à lui que Coudois parlait.

— Il faut nous voir comme vous verriez le rocher. Une masse, énorme, dure, avec des rayures et des fentes, mais en elle-même dure et solide. Tout ceci à cause que le roc veut être ce roc et demeurer inébranlable. Il est retenu à la terre par son poids et sa force, et il restera dans la montagne. S'il se déplace, il roulera, détruisant tout sur son passage, ne fléchissant pas, simplement parce que son idée sera ainsi, de rouler en ligne droite. Je dis ceci et je compare le roc à nos gens qui ont l'idée. L'idée d'aimer, l'idée de haïr, l'idée de concevoir la vie ou de tuer. Ce sont des idées. Ils les ont, les idées, et allez les enlever de leur tête! Cela s'essaie. Nous nous connaissons mal. Nous avons essayé de dissuader celui-ci, ou celui-là, à cause d'un acte qu'il allait commettre. Mais ce fut en vain. Comme le roc, hein? l'âpreté du roc et de la montagne, la puissance du roc et de la montagne, l'entêtement des pics qui vont résister à tous les vents de Dieu. Apre et dur, solide et sans fléchissement... Dur d'écorce... Allez parler aux gens de Karnac... vous verrez si je dis vrai.

Et l'homme avait parlé aux gens de Karnac.

Et il était revenu chez Coudois, et il était pâle.

— Je retourne à la ville, dit-il, je ne reviendrai plus.

Il n'en avait pas dit plus long, mais il était parti. On n'avait jamais plus entendu parler de lui...

— Il n'aime pas les gens âpres, avait dit Coudois... Mais il les aimerait, s'il en était un de la montagne. S'il avait dû, pour chaque heure de sa vie, combattre le vent, combattre la boue, combattre le voisin qui voulait la femme, ou l'animal de la forêt qui venait rapiner dans le hameau. Faire pousser du grain dans la terre pauvre, essayer de tirer du roc dur de la sève et du fruit. Mauvaise vie de mauvais chien... Les semaines où la neige enfouit tout; et alors quoi manger? sinon le pain moisi que l'on se rationne, et ensuite les chiens, puis les chats ... Quand le soleil nous déblaie, alors tout est à recommencer ...

Et il s'était tourné vers les gens du hameau qui étaient dans sa forge.

— Combien de fois dans votre vie pareil malheur?

Ils n'avaient rien dit, mais ils avaient soupiré. Alors on pouvait comprendre ce qu'ils pensaient.

Le hameau et ses gens.

Gens de petite vie, et de principes simples. Loups parmi les loups, rocs parmi les rocs, gens de gestes courts.

A la plaine, on parlait de Karnac en frissonnant un peu. Parfois, on en voyait descendre un du hameau, et on le reconnaissait parce qu'il avait la taille rabougrie, et la peau hâlée, et parce qu'il avait la bouche amère, et une implacable détermination dans les yeux.

On verrouillait les portes alors.

Au fond, il eût mieux valu ouvrir les cœurs. Seulement, à la plaine, on ne savait pas que c'était la chose à faire, et on verrouillait les portes.

Cela était depuis toujours. Cela, et quand ceux de la plaine étaient en groupe et qu'arrivait un de la montagne, les rires, les sarcasmes.

Aussi, à Karnac, comme au hameau de la Souche, juché plus haut encore dans les crêtes, et dans tous les hameaux de la montagne, on haïssait ceux de la plaine. Un haine sourde, comme le flagellé hait celui qui fait tomber le fouet sur la peau nue.

Lorgneau, Coudois, Daumier et Valois . . .

Sylvestre et Valère, et Boutillon, son fils, et Fabien . . .

Les femmes, plus belles que leurs hommes, restant les seules joies de ces hommes à qui les joies avaient été diminuées par la vie dure.

Coudois le disait aussi.

— Hors la femme, la sienne ou celle que l'on désire, que nous reste-t-il? La montagne que nous aimons, mais qui est une dure maîtresse, et les femmes qui sont devant nos yeux. Nous mangeons à la faim, mais sans manger plus que la faim, et pour la jouissance. Il ne reste donc que nos femmes, les femmes du hameau.

Donc le hameau.

108

XII

C'est Florian qui aperçut le premier le cadavre de la Bernadette descendant le courant.

A ce moment, le soleil était déjà assez haut. Il pouvait être huit heures du matin, et la vie avait repris dans le hameau. La vie de tous les jours, la vie de la montagne.

On s'était levé comme à l'accoutumée.

David Coudois avait ranimé le feu de sa forge, regardant par la porte large ouverte ce qui se passait sur le chemin, et il chantait à tue-tête les chansons qu'il savait depuis toujours, les trois seules chansons dans sa mémoire, en les enfilant à la suite, de sa grande voix énorme qui remplissait la boutique et venait se promener entre les maisons des alentours.

Ce qui faisait dire à la Clémence de Branchu:

— Voilà le Coudois qui chante.

Avec un sourire dans les mots. Car elle avait depuis longtemps voulu de David, mais voilà que Judith était venue du Grand Hameau, et avait pris la place.

Alors la Clémence a épousé Branchu.

Cela se dit sans rien ajouter. A connaître Branchu, son visage rétréci et sa voix cassée, et à voir la Clémence, bien en chair, pleine de sang vif et de regards qui en disent long sur ce qu'elle voudrait, celle-là, alors on sait pourquoi il ne faut rien ajouter.

109

Plus encore que cela se comprend, sachez-le, en entendant la voix forte et vibrante de David Coudois...

Mais cela n'est pas l'histoire, et seulement des choses dites pour bien comprendre que ce matin-là, un beau matin de printemps, la voix des hommes était plus forte et vaillante, la pensée des femmes avait des souvenirs d'anciens vouloirs, et il y avait, ici et là et partout où il y avait de la vie humaine, de la gaieté fébrile, du rire, de drôles de poussées de chaleurs, et une espèce de hâte que tout cela en vienne à quelque chose.

Sans trop savoir quoi, mais en se doutant bien que le jeune vert des herbes, et les vaillances des oiseaux auprès des nouveaux nids, et l'air arrogant des taureaux et des coqs, les senteurs enveloppantes de tout ce qui croît et cette espèce de chaleur douce qui montait de la terre, descendait du ciel, s'infiltrait partout, que tout cela donc y était pour quelque chose.

Et voilà que Florian, en rêvassant au bord de la Gueuse, voit flotter le cadavre dans l'eau limpide.

Tout d'abord, il ne sut pas que c'était celui de Bernadette.

Il vit le cadavre, ne le reconnut pas, et courut au hameau, à la forge de Coudois.

— Coudois, vite!

Du fond de la boutique, où ne parvenait qu'un seul rayon de lumière, Coudois se retourna, masse d'homme énorme auréolée par le soleil.

— Qu'est-ce qu'il y a, Florian?

Mais Florian fit des gestes d'impatience et de hâte.

— Viens vite, Coudois! Il y a un noyé dans la Gueuse!

Coudois n'enleva pas son tablier de cuir.

— Un noyé dans la Gueuse? s'exclama-t-il.

De longtemps cela ne s'était pas vu. Il y avait bien la femme venue du Sud, et qui s'était noyée dans la rivière, lui donnant son nom, la Gueuse, mais cela était déjà loin en arrière, au temps où Coudois était un jeune homme, venant à peine de connaître la Judith et de l'amener chez lui.

Coudois suivit Florian qui courait maintenant, retournant au ruisseau en ameutant de ses cris tout le hameau.

Ils y furent tous, depuis Valois jusqu'à Lorgneau, sans oublier les deux Boutillon, père et fils, et même Palequin, du Grand Hameau, qui était à Karnac ce matin-là.

Les femmes, les petits, tous les hommes se trouvèrent sur la grève étroite, d'où l'on voyait, non loin de la berge, le corps flottant, presque sous l'eau.

Coudois mit à l'eau le bac avec lequel il allait pêcher le poisson sous la chute, et il rama vigoureusement vers le cadavre, pendant que Florian, debout à l'avant, gaffe en mains, attendait le moment d'agripper les vêtements de la noyée, car maintenant l'on voyait bien que c'était une femme . . .

La Judith de Coudois, debout sur la grève, reconnut la première le corps ballant au gré de l'eau.

Avant même que ne l'atteigne son David.

Et elle crit:

— C'est Bernadette!

Il se fit un long silence parmi la foule. Comme une espèce de main qui se serait abattue sur eux tous, du jour moins brillant, des senteurs devenues mauvaises... de l'angoisse.

Valois cria à son tour:

— C'est Bernadette, je la reconnais! C'est sa robe, ses cheveux...

Puis un long cri. C'était la femme de Valois.

— Je reconnais son visage! C'est Bernadette Loubron! hurla-t-elle.

Et comme si tout à coup la tension s'était rompue, la grève ne fut plus qu'un tumulte, une Babel de voix qui pleuraient, qui geignaient, qui invoquaient des saints, et parmi ces voix de femmes la voix des hommes qui criaient des directives à Coudois, lui disaient comment faire, avertissaient de toutes les attentions Florian debout, gaffe en mains.

Et quand le croc de la gaffe atteignit les vêtements, s'y accrocha, ramena le cadavre au bateau, la foule du hameau exhala une longue plainte, et l'on vit Coudois se signer.

Après, ce fut le silence, et tout le temps que Coudois rama vers la rive, avec Florian qui tirait le cadavre derrière l'embarcation, personne ne souffla mot, et quand le bateau accosta, vint s'échouer sur la grève, tout le monde se précipita, sans égards pour l'eau qui recouvrait les pieds, pour voir de près ce qui était arrivé à Bernadette.

Coudois cria:

— Reculez, tous! Nous allons la transporter sur la grève...

Ils reculèrent un peu, et Florian les repoussa.

Puis, aidé par Coudois, il empoigna le cadavre et le tira sur le sable tiède.

Là, couchée, face bleuâtre au soleil, on vit bien

que c'était Bernadette, et les lamentations recommencèrent.

Mais maintenant, il y avait la voix navrée des hommes qui se mêlait à celle des femmes.

Car la Bernadette était belle. Même dans la mort son corps restait beau. Et plus d'un homme se souvenait qu'un jour il avait bien voulu de cette femme maintenant morte. Que jamais maintenant il ne la posséderait. Que jamais plus elle ne viendrait au hameau, grand sourire aux lèvres, beau bonjour pour tous, douce œillade pour les hommes solides, et tendre pitié pour ceux qui la regardaient de loin, mais qui jamais ne pourraient, vu l'âge, et le poids des ans...

Et voilà qu'ici, sur cette grève, la Bernadette gisait morte, noyée, trouvée dans la Gueuse comme un ours des montagnes qui aurait mal placé le pied, comme un loup qui aurait plongé d'une berge abrupte et se serait assommé sur une pierre pour ensuite se noyer. Comme n'importe quel animal des pentes, mort au hasard du grand ruisseau.

Trouvée noyée...

Maintenant, c'était la discussion vive. Sous le chaud soleil, c'était presque de la colère.

— Que lui est-il arrivé? demandait Valois.

Et Boutillon, l'un des vieux sans espoir, mais qui avait bien aimé la belle femme du vieux Loubron, dit:

— Ecoutez, c'est une étrange façon de mourir. C'est pas chrétien. Est-ce qu'on se noie dans la Gueuse, nous?

Et cela était ainsi, de partout, de toutes les bouches, des questions, en se demandant pourquoi elle était là . . .

Et Lorgneau dit, en serrant les dents:

— Moi, je dis que l'on devrait monter à la ferme de la Bernadette, là-haut, et voir un peu ce qui s'y passe.

Or, comme Lorgneau n'a jamais aimé Fabien, et comme la femme Valois, de son côté, n'aime pas tellement Edith la fille de la plaine, ils ont mené le groupe, et voici que tout le hameau, moins Clovis-le-Sauteux, qui boite en sautant, à cause d'une maladie ancienne, et qui ne peut grimper les pentes, tout le hameau monte vers le plateau, où dans le clair matin travaillent Fabien et Edith, attendant justement que l'on vienne, que l'on questionne, pour répondre parce que répondre sera non seulement une réponse pour ceux du hameau, mais aussi pour Fabien, puisqu'il saura si le hameau croit l'histoire prête, l'histoire qu'ils ont, lui et l'Edith, bien apprise ce matin-là . . .

Clovis-le-Sauteux, pendant ce temps, reste en garde près du cadavre couché dans le sable, et auquel le soleil commence déjà à donner des teintes vertes et bleues qui parlent de l'enterrement utile, parce que bientôt la mort aura tout détruit de la Bernadette, surtout la beauté.

114

XIII

Au moment où ils montaient les pentes menant au plateau, neuf heures sonnaient. Neuf heures du beau matin clair.

Le soleil était chaud, plein soleil de tard printemps, nouvelle chaleur qui fait suer et ralentir le pas dans la côte raide.

Plus tard, midi venu, et trois heures ensuite, il y aura une brume qui flottera sur la montagne. Mais à neuf heures, le soleil encore jeune dans son ciel, la couleur est claire, la montagne bien découpée, avec du beau vert tranché, du noir et des gris, le brun des rocs, et le rouge des caps de granit. Alors c'est beau ce matin-là de la montagne, c'est beau, net, rutilant, gai.

Et c'est chaud.

Mais dans le cœur des gens du hameau, pris dans l'angoisse de savoir que la plus belle femme de leur vie est morte, noyée, victime de l'eau et de quoi encore, c'est noir. Pas noir ensoleillé et presque beau des rocs de basalte que l'on voit près des crêtes, mais noir comme pour le mauvais deuil et la vie de douleur.

Ils vont donc savoir ce qui se passe là-haut, comme a crié Lorgneau.

Et en grimpant, Valois enlève sa veste, Daumier rejette son tricot, et jusqu'au vieux Boutillon, pourtant vêtu de laine aux temps chauds comme aux temps froids, et jamais plus ou moins dans un temps comme dans l'autre, qui trouve moyen de remarquer:

— C'est pas de la chaleur de chrétiens!

Valois, veste enlevée, prend les devants, dépasse Lorgneau, les mène, les tire là-haut, et on sait que maintenant c'est lui, le Valois à la parole facile, qui réglera le cas de la Bernadette noyée.

Ils grimpent tant et tant, et voilà le sentier qui baisse sa pente, qui se radoucit, qui vient mourir sur le rebord du plateau, et c'est la maison basse de la ferme Loubron qui est devant eux, gaie avec son toit de chaume, et ses murs blanchis, et les fleurs qui sont devant, en pleine terre, peintes de toutes les couleurs à dire.

Et le groupe va toujours de son pas rapide, vers l'entrée.

Puis une voix cria dans le champ à gauche:

— Hou! fait la voix.

Et Daumier fait remarquer à Valois:

— Là-bas, à gauche, dans le champ d'avoine, on a fait « hou »!

Et Valois s'arrête, les autres aussi, pour voir Fabien qui leur fait le bonjour, qui sort du champ, suivi de l'Edith, la fille maigre qui vient de la plaine, et dont on doute.

De loin, Fabien crie:

— Espérez, je viens!

Il pose la pioche, et Edith fait de même avec son outil, et ils s'avancent, l'un à côté de l'autre, la fille presque belle dans ce soleil.

Fier portants, assez pour soulever un murmure chez les hommes qui les voient venir.

116

— Je ne me trompe pas, dit Daumier, c'est de l'amour. Il y a seulement l'amour pour faire marcher un homme et une femme à côté l'un de l'autre aussi bien que ça! Comme mariés, le pas marié, la hanche mariée, le balancement marié. L'un en sachant où va l'autre et où se pose le pied ...

Mais ils ne disent rien, les autres, et ils attendent, en regardant venir Fabien et la fille laide.

— Bonjour, dit Fabien. Bien le bonjour! Je suis surpris de vous voir.

Il les montra, en les détaillant, l'un après l'autre.

— Je vous vois tous, en me demandant pourquoi vous êtes là ... Un, deux, ce serait visite à prévoir ... mais tous?

Il a vraiment l'air surpris, et il repousse en arrière son chapeau brun, et il les regarde.

C'est Valois qui parle. Sec. Valois qui n'aime pas voir le Fabien de la montagne marcher si bien avec une fille de la plaine, comme le dit Daumier qui s'y connaît.

Et laide, encore!

— Où est la Bernadette? demanda Valois. Nous voudrions lui parler.

Alors il se fait un long silence.

Avec seulement des sons de montagnes et de ferme.

La montagne qui lance ses chants d'oiseaux, un jappement de chien, bien loin.

La ferme et le mugissement d'une vache dans le pâturage, le bêlement d'un agneau de printemps dans la bergerie.

Plus proche, à dix pas d'eux, dans la cour de la maison, des poules gloussent.

L'une lance soudain un cri strident, mais il reste sans réponse.

Sans réponse aussi la question de Valois.

— Où est Bernadette? répète-t-il.

Fabien n'a pas bougé. Il est pâle, et rien ne se meut chez lui. Comme du marbre, du roc contre lequel vient se heurter Valois.

Maintenant, c'est Fabien qui n'a plus l'assurance d'hier, ou même la détermination du matin.

Et quand il parle, il lui manque des bouts de son dans la voix.

— Pourquoi voulez-vous savoir? demande-t-il.

Edith enchaîne, avant même que ne réponde Valois, ou Lorgneau, ou n'importe lequel des autres.

— Oui, pourquoi voulez-vous savoir? Elle n'est pas au hameau? Elle est partie tôt ce matin, pour y aller ... Elle n'est pas là?

— Il faut bien se comprendre, dit Fabien. Moi, je voudrais que l'on se comprenne ...

Il avait retrouvé sa voix tout à coup. Que la fille Edith ait pu garder son calme devant tous ces gens avait aidé Fabien à se ressaisir.

— Qu'est-ce que vous voulez, tous? Pourquoi êtes-vous ici? Est-il arrivé quelque chose?

Valois ricana, dans le clair soleil, et la foule murmura.

Ils étaient trente, quarante, derrière Valois, le visage impassible, qui regardaient Fabien, l'Edith.

— Mais parlez donc! cria Fabien.

Valois se mit à rire. Un grand rire étrange qui sonna faux, perdu sur le plateau, seul au milieu de tous ces gens sérieux, au visage de tragédie.

Il se tapait la cuisse.

— Elle était dans ton chemin, cria-t-il. Elle était entre toi et cette fille de la plaine! Tout le monde aurait pu le deviner! La Bernadette te voulait. Elle voulait d'un homme comme toi! Est-ce que ça ne se voyait pas, cette fois où elle est venue au hameau t'embaucher? Est-ce que ça ne se voyait pas que tu lui plaisais, hein?

Et Valois prit la vareuse de Fabien, à la hauteur de la poitrine. Une poigne qui retint Fabien là, l'empêchant de bouger, de reculer, de se sauver comme il l'aurait voulu au fond de lui-même.

— Peux-tu nier que la Bernadette voulait de toi, qu'elle était entre toi . . . et ça!

Il lâcha la vareuse de Fabien, montra la fille laide non loin.

Alors Fabien eut son second blasphème du matin, et il assena sur la mâchoire de Valois son poing d'homme solide, et le cordonnier alla rouler dans l'herbe humide, face contre terre, assommé net par la force du coup.

Personne du hameau ne bougea.

— Il a dit, murmura Fabien en se frottant le poing avec la paume de l'autre main, il a dit . . . « ça » . . . en montrant l'Edith. On dira ce qu'on voudra de moi, mais on ne parlera pas d'elle avec des mots pareils!

Daumier, qui était en arrière, se fraya un chemin.

— Allons, dit-il, d'une voix plus douce que celle de Valois, nous n'arriverons à rien ainsi. Ecoute Fabien, voilà ce qui en est. Ce matin, Florian Branchu a trouvé le cadavre de Bernadette qui flottait dans la Gueuse . . .

119

Edith poussa un gémissement, et elle s'enfouit le visage entre ses mains.

Fabien recula d'un pas, se passa la main sur le front en sueur.

— Quoi? dit-il, Bernadette, noyée?

— Noyée, dit Daumier.

— Mais . . . c'est pas possible. Hier soir, elle a dit qu'elle irait au hameau tôt ce matin. Je la croyais partie avant le soleil . . . D'aller se noyer dans la Gueuse n'est pas sur son chemin!

On remuait dans la foule.

Il y en avait qui regardaient maintenant Fabien avec moins d'hostilité, qui écoutaient la voix de l'homme racontant son histoire.

— Moi, je me suis levé tôt, mais pas si tôt que je n'aie pu voir la Bernadette. Elle n'était pas là quand je me suis levé. Alors j'ai cru qu'elle était partie . . .

Il se tourna vers Edith:

— Qu'est-ce que tu en dis, la fille?

Mais Edith, plus calme maintenant, et le visage moins tourmenté, secoua la tête de gauche à droite.

— Je ne sais plus, moi, dit-elle. Bernadette devait aller au hameau. Je la croyais là . . . Sûrement pas dans la Gueuse . . .

Daumier montra de la tête Valois qui se ranimait sur la terre tiède:

— Valois a semblé dire que tu saurais quelque chose . . . Cette question que la Bernadette voulait de toi . . . Je le demande, dit-il, surtout parce que des paroles comme ça sont graves. Il faut les expliquer . . .

Fabien ricana.

— Valois parle comme parle sa femme . . .

La femme de Valois, assise par terre, tenant la tête de son mari entre les mains, cria à Fabien:

— Salaud! Langue mal pendue! Assassin!

Mais Daumier la fit taire d'un geste menaçant.

— C'est assez! C'est assez cette histoire... Il faut tout de même entendre ce que dit Fabien.

— Sûr, dit Fabien, que la Bernadette était bien avenante avec moi. Sûr. Je ne le nie pas. Mais pas tellement que je doive la considérer comme un obstacle... Je suis libre, j'étais libre, j'ai toujours été libre d'aimer qui je voulais. Dans cette maison ou ailleurs.

Daumier montra Edith.

— Tu aimes cette fille?

— C'est de l'amour, dit Fabien. Peut-il y avoir plus grand amour?

Ils étaient tous devant lui, ses aînés et ses pairs, ses cousins et les autres qui n'avaient pas la parenté du sang, mais qui avaient la parenté d'être nés avec lui, d'avoir grandi là et vécu là, dans le même hameau.

Et quand Fabien posa sa question, quand il demanda: « Peut-il y avoir plus grand amour? », on comprit ce qu'il voulait dire, que c'était grand amour que celui-là entre l'homme solide, jeune, beau portant, et la fille maigre et laide, que ce n'était pas seulement de l'attirance et de la chair que cet amour, et ils firent tous oui, tous ceux qui étaient là, tous oui de la tête, en approuvant que c'était bien là un grand amour, et un bel amour, et un doux sentiment à respecter et à comprendre.

Ils pouvaient comprendre cela.

Et Daumier continua:

121

— Ainsi, Fabien, tu dis ne rien savoir de cette mort de la Bernadette?

— Je n'en connais rien. Et si vous m'accusez d'un crime que je n'aurais pu commettre, puisque vous me connaissez et me savez bien incapable de tels gestes, puisque vous m'accusez de ce crime, au fond, songez à ce que je pouvais retirer de la mort de cette femme, sinon la perte de mon gagne-pain présent et de celui d'Edith. Il n'y avait qu'à partir, si les choses étaient telles que le disait Valois . . .

Daumier hocha la tête:

— C'est bien sûr que c'est ainsi . . .?

Edith les amena de sa main qui tremblait.

— Venez, dit-elle, venez à la maison. Je vous montrerai bien que Fabien dit vrai, et que nous ne savions rien de cette mort. Bernadette nous avait dit vouloir aller au hameau et revenir à l'angélus . . . Il y a trois plats sur la table . . . allez-y voir . . .

La maison était là, toute proche, et la fenêtre, la grande fenêtre de la cuisine était ouverte.

La mère Druseau alla voir.

D'un pas calme, seule, grande et mince.

Elle revint en regardant Edith bien dans les yeux.

— Il y a trois plats sur la table, oui, dit-elle . . . Il y a trois plats sur la table.

De la foule sortit un long soupir, comme une tension qui se serait brisée.

L'immobilité se rompit, et il se fit des mouvements. On marchait, on se croisait. Chacun parlait, disait des mots à son voisin, allait trouver un autre plus loin. Edith, elle, ne savait plus quoi penser.

Fabien, immobile, s'était fermé les yeux, comme soudain bien las.

Et Coudois, qui était devant lui, n'avait pas bougé. Il dit à Fabien:

— Que feras-tu maintenant? Puisque Bernadette est morte, il n'y a plus personne ...

Fabien ouvrit les yeux.

— Je ne sais pas, dit-il, je ne sais plus ... Tout ceci ...

Il se passa de nouveau la main sur le front.

Il y avait dans ses yeux comme toute la fatigue des temps.

Il ne regardait plus Valois, relevé maintenant, qui se tenait à l'écart avec sa femme, regardant le sol, maugréant des jurons.

Coudois se tourna vers la foule.

— Ecoutez, tous ... Approchez ici.

Il se fit un cercle autour des deux hommes, Coudois à la voix large et Fabien changé en statue.

— Je songe à la ferme Loubron, dit Coudois. Que ferons-nous? Reste-t-il quelqu'un de nous qui soit apparenté à la Bernadette?

Ils secouèrent tous la tête, dirent non, qu'ils ne l'étaient pas ...

— Et du côté du vieux Loubron défunt, il ne reste personne?

— Personne, dirent-ils, personne qui reste pour hériter.

— Alors que faire de cette ferme? La laisser périr?

Tout à coup, Fabien bougea, sembla s'éveiller d'un songe. Il avait les yeux brillants, fiévreux.

— Venez! Suivez-moi! cria-t-il.

Il mena la marche vers les grands bâtiments propres qui s'alignaient derrière la maison.

Il ouvrit la porte de l'étable.

— Pressez-vous là, dit-il. Regardez!

Ils virent le bâtiment propre, rangé, de bonne odeur. Ils virent les stalles nettoyées, le mur raclé et les harnais rangés en bon ordre contre le plan.

— Cela est l'étable, dit Fabien. Maintenant, venez.

Il les mena à la porcherie.

— Vingt porcs, dit-il, en montrant les bêtes dans les parcs. Tous bons pour la boucherie d'automne. Des billets à la poignée pour de telles bêtes . . .

De là, il les mena vers le pâturage derrière la grange.

— Voyez le troupeau. Deux bêtes de plus, et chacune avec un pis gros comme je vous montre avec mes mains . . .

Et il faisait le geste.

— Et dans la grange, continua-t-il, il reste du foin de l'ancienne récolte, et du grain pour ces bêtes. Les champs poussent à pleines tiges de tous les bons grains pour la vie des bêtes. La maison a été blanchie, et jamais les parquets n'en ont été si bien battus, et les murs si propres . . .

— Et après, fit Valois en ricanant, après? Pourquoi nous montrer ça?

Le cordonnier reprenait de l'assurance. Il s'était placé à l'avant du groupe.

— Après? dit Daumier, tu ne comprends pas, Valois?

— Daumier comprend, lui, dit Fabien. Il sait bien de quoi je parle. Songe un peu, Valois. Et alors, ces champs et ces bêtes? Tout ce travail que je connais, et qu'un autre ne pourrait continuer à ma place, surtout parce que je sais l'endroit du blé et des avoines, le champ où est le seigle et cet autre où est le lin. Je sais la place des choses, et comment elles sont mises en terre, ou clouées en place! La ferme Loubron périra, si je pars. En ce pays de montagne, une mauvaise année de négligence, et une autre à cause que l'intérêt de l'homme n'y est plus, cela suffit. Et votre fierté? Vous causez de cette ferme, en la disant vôtre! C'est votre seul orgueil à la plaine, quand vous y allez... Si je pars, la ferme Loubron périra. Tu veux ça, Valois? Il n'y a pas d'héritiers. Moi et l'Edith qui me seconde, parce que nous nous aimons et aimons ce sol, nous pouvons le faire fructifier, et les années à venir seront belles...

Il montra toute la ferme, le plateau, fit un grand geste pour tout embrasser.

— C'est tout ceci que tu détruis, Valois, si tu ne comprends pas ce que je veux dire!

La sueur coulait au front du cordonnier. Il se dandinait sur un pied, sur l'autre, il mâchait des mots entre ses dents, mais il n'arrivait pas à les dire.

Fabien sourit.

— Voici que j'aime Edith, et que nous sommes ensemble, ici, heureux, et que nous pourrions le faire fructifier ce bien dont vous êtes fiers... Que ferez-vous?

Il y eut comme un remous, des têtes se penchèrent, des phrases indistinctes retentirent, puis soudain la voix de Boutillon parla.

Le pingre sut dire les vrais mots qui comptaient dans la vie d'Edith et de Fabien.

— Je dis pour Fabien, et comme lui. Ce bien est

125

notre seule grande richesse. Avec Fabien, la ferme prospère. Il est bon qu'il soit ici.

Il y eut une seconde d'hésitation sous le soleil chaud et Valois essaya de parler ...

Mais soudain le remous déferla, et les voix crièrent.

— Pour Fabien! Pour Fabien! ... Il peut bien y faire ici! Qu'il y reste!

Valois eut un geste d'impuissance, vint pour parler encore une fois, décida de n'en rien faire, et baissa la tête.

Coudois dit:

— Moi, naturellement, je saurais bien quoi suggérer. Mais toi, Fabien, puisque tu sembles avoir une idée, qu'est-ce que tu veux de nous?

— La Bernadette est morte, dit Fabien. Vous me dites qu'elle est morte. Vous avez dit que personne ne peut hériter de la ferme, puisqu'elle reste sans parenté, la pauvre femme ... Il pourrait y avoir un testament ...

Mais Coudois secoua la tête:

— Il n'y en a pas, je le sais ... Bernadette en a déjà parlé, un jour qu'elle était venue à la forge.

— Alors, dit Fabien, s'il n'y a rien pour lier ce bien, le céder à d'autres, je voudrais l'acheter.

— L'acheter de qui? demanda Coudois.

Valois ricana de nouveau:

— Moi, je ne me demande pas la même chose ... Je voudrais savoir avec quoi Fabien achèterait un si beau bien ...

Mais Fabien continua, sans s'occuper de Valois.

— L'acheter de vous tous, en partage égal. Je verserai tant et tant chaque mois à monsieur le maire. Il le partagera ensuite entre vous, puisque le bien est à nous tous, à vous tous, maintenant. Je donnerai une somme en avance, et puis ensuite, chaque mois, l'un suivant l'autre, une somme plus petite qui paiera ainsi le montant que vous fixerez comme prix du bien Loubron . . .

Coudois réfléchissait, la tête penchée, le menton entre ses mains.

Il releva la tête et se tourna vers les gens du hameau:

— Que dites-vous, tous?

Des voix et des murmures, sans paroles, et puis tout à coup la voix du vieux Boutillon:

— C'est un marché honnête. Autant le régler comme ça, avant que ne se passe trop de temps. Si Fabien veut acheter le bien, pourquoi pas? C'est un moyen pour que la ferme Loubron reste ce qu'elle est, une belle ferme, comme le dit Fabien, dont nous sommes fiers. Moi je vote pour Fabien et ses offres!

Il ne suffisait que de ça, cette voix aigre qui acceptait l'offre. On cria des oui, et on vint serrer la main de Fabien, et on approuva à haute voix, avec des holà! de satisfaction, ce qu'avait dit le beau gars.

Valois, tête basse, dit pour que tous l'entendent:

— Allons, c'est le vote qui compte. Vous approuvez, et c'est uni comme les doigts de ma main . . . Qu'est-ce que je pourrais y faire, hein? Alors j'approuve moi aussi, Fabien est bon homme, bon fermier, personne ne le nie . . . Qu'il achète la ferme, car personne d'autre ne peut l'avoir maintenant . . .

Et il ajouta:

— Retournons au hameau. Il faudra faire des

funérailles à la Bernadette, et nous n'avons que peu de temps, avec ce soleil qui doit lui ronger les chairs mortes!

Quand ils furent partis, qu'ils furent disparus par le sentier, Fabien vit qu'il n'était pas seul avec l'Edith, et que la mère Druseau était là, attendant que les gens du hameau soient plus loin encore.

Puis elle s'approcha du couple et dit à Edith, une lueur narquoise dans les yeux:

— Je ne te connais pas depuis longtemps, petite, mais je t'aime bien tu sais, et je te comprends...

Et elle se tourna vers Fabien:

— Je te comprends aussi, Fabien... mieux que tu ne crois...

Elle eut un geste des mains.

— Alors c'est pour ça que je suis restée derrière, pour vous dire d'aller déplacer le plat, le troisième plat sur la table. Je connais les habitudes à la ferme Loubron, et je sais que Bernadette mangeait toujours face à la fenêtre... Tu n'as pas mis le plat à la bonne place, petite Edith, et tu devrais le changer, vite, le remettre au bon endroit, avant que quelqu'un ne s'en aperçoive...

Là-dessus, elle tourna les talons et descendit rapidement le sentier.

Fabien regardait Edith, avec soudain, dans les yeux, toute la peur de tout son sang.

* * *

Coudois tailla des planches de pin blanc et prépara le cercueil.

On avait amené le cadavre de la Bernadette chez

128

Lorgneau, où la femme Lorgneau, la mère Druseau, et d'autres femmes du village l'ensevelirent.

Et quand Coudois eut terminé le cercueil, on alla le porter à la petite chapelle dressée à l'orée du village contre le flanc de roc, solide comme ce roc et presque aussi ancienne.

Le cortège accompagna les porteurs le long du chemin traversant le hameau, et bordé de maisons basses, grises et pauvres, avec les quelques rares fleurs devant les portes.

On suivit en silence: Lorgneau, Boutillon le fils, Florian, Valois, Coudois et Palequin, qui portaient le cercueil d'un pas triste et lent, se souvenant de tout ce qu'avait été la femme Loubron.

On marchait tête basse, pour offrir le dernier hommage à la femme noyée sans qu'on sache comment ni pourquoi.

On s'était demandé, en descendant du plateau Loubron . . .

« Mais pourquoi est-elle allée au ruisseau? »

Comme la réponse ne venait à l'esprit de personne, on avait cessé de le demander, préférant tout laisser dans le grand mystère.

Et au hameau, on s'était hâté de préparer l'enterrement. Coudois avait fabriqué le cercueil, et les femmes avaient enseveli le corps. Florian avait offert de creuser la fosse.

Et ce fut dans ce demi-silence que vinrent Fabien et Edith.

Restés seuls, là-haut, ils n'avaient pas parlé. Les mots de la mère Druseau, le terrible doute que la vieille femme sache maintenant que c'était un crime, un crime commis par eux, le ton de sa voix en le disant, tout ceci était resté gravé dans l'esprit de Fabien, et l'homme était retombé dans le silence.

Quand Edith parla, il la fit taire d'un cri:

— Tais-toi!

Alors la fille se tut.

Plus tard, assis sur le banc, incapable de travailler, de vaquer aux œuvres de la terre et de la croissance, Fabien dit tout à coup, rompant le grand silence qui durait depuis une heure:

— Autant descendre au hameau. Ils feront des funérailles à la Bernadette. Il faudrait être là.

Edith partit pour dire: « La mère Druseau . . . »

Mais elle se retint, et elle suivit Fabien quand il prit par le sentier et se dirigea vers le hameau.

Quand ils arrivèrent, il ne restait plus que les derniers moments avant que le corps de la Bernadette défunte prenne le chemin de la fosse ouverte qui serait bientôt refermée sur elle, à tout jamais.

Fabien marcha bravement jusqu'au milieu de la foule, au vu de tous, et Edith, calme à l'écart, mais pleine d'une immense frayeur dans l'âme, le suivit.

Vis-à-vis, il y avait la mère Druseau.

Edith n'osait regarder dans la pénombre, voir les visages, savoir si la mère Druseau avait parlé, si elle avait raconté cette histoire du plat mal disposé sur la table.

Les dernières minutes du service funèbre parurent des siècles à la fille. Autant à Fabien, d'ailleurs, car pour l'homme aussi il y avait ce désir de savoir, cette crainte de savoir, cette angoisse, cette indécision.

Puis ce fut tout et l'on sortit, cercueil en tête, pour se diriger vers le cimetière tout proche.

Dehors, Edith put respirer, car elle vit des sourires et entendit des bonjours.

Fabien regarda, chercha, sur les visages un pli de la bouche qui serait l'indice, mais il ne vit rien.

Ils suivirent le cortège, jusqu'à la fosse, et ne dirent rien tant que le cercueil ne fut pas en terre creuse, au fond du trou.

Alors, quand la première pelletée de terre tomba et qu'il n'y eut plus d'espoir, quand donc tomba la première pelletée de terre, Edith poussa un cri et courut comme une folle vers le hameau, Fabien derrière elle, la rappelant, essayant de lui dire des mots pour la calmer, la rassurer.

A la barrière du cimetière, Edith s'arrêta soudain, car le chemin lui était fermé. La mère Druseau se tenait là, droite, un bon sourire sur le visage.

— Voyons, petite, dit-elle, en s'approchant d'Edith clouée là, voyons, il ne faut pas pleurer ainsi... Viens... viens ici...

Et elle tendait les bras.

Edith ne repoussa pas la femme, mais elle n'alla pas vers elle non plus.

— Allons, dit la mère Druseau, c'est de la mort. La mort est ainsi. Tellement plus difficile pour ceux qui restent... Mais tu n'étais pas liée par le sang à la femme. Tu n'as pas tellement à pleurer...

Et la vieille se tourna vers Fabien.

— Ramène ta femme là-haut, sur le plateau, Fabien. Vous avez du travail à faire maintenant. Acheter, racheter aussi... Ramène ta femme vers la vie, Fabien, essayez d'être heureux, mes petits...

Et elle prit doucement Edith par le bras, la mena vers Fabien.

— Ramène-la, Fabien, elle a besoin de toi ...

Et elle les regarda longuement aller sur le chemin, monter vers la ferme Loubron, pendant que les gens du hameau sortaient du cimetière, la fosse comblée, pour retourner à leurs travaux de chaque jour, la mort de Bernadette devenue un événement passé dont on parlerait longtemps encore, mais toujours de moins en moins, jusqu'à l'oubli, un jour.

Il se trouvera un vieux pour dire, dans trente ou quarante ans:

— On avait, dans mon jeune âge, trouvé un cadavre dans la Gueuse. C'était celui de la Bernadette Loubron, qui s'est noyée là sans qu'on sache comment ni pourquoi ... Une bien étrange affaire.

Un récit de vieillard, dans trente ans d'ici ...

Pendant que ceux du hameau retournaient dans leurs maisons, Fabien et l'Edith grimpaient la pente raide. Fabien tenant l'Edith par la taille, et murmurant sans se lasser:

— Elle a dit: « Vivez heureux! » C'est donc qu'elle ne parlera pas, ne nous déclarera pas ... Elle a dit: « Vivez heureux! » ...

XIV

Il faut à ces choses, comme au grain de la terre, et au fruit de l'arbre, le temps de mûrir. Il faut des heures et des jours, et les jours de chaque semaine.

Il avait fallu à la terre le temps de rendre à l'homme la moisson des grains semés.

Pour Edith et Fabien, la vie avait coulé doucement, au fil des jours, et réglée par les labeurs de la moisson à venir, de la terre à féconder et à nourrir, à surveiller et à caresser.

Vint donc un jour où Fabien, en regardant les champs dorés de la moisson riche, dit à la fille:

— Demain, les moissons commencent. Demain, s'il fait beau et sec, si le soleil luit, les moissons se feront.

Puis il prit sa place à table, et il trancha le pain et mangea la soupe grasse dans son assiette de faïence propre.

— Nous aurons, l'Edith, une belle moisson. Au printemps, le grain a été jeté dans les sillons de cette terre riche et moelleuse. De cette semence sont nés les champs et les arpents, où croît notre récolte heureuse ...

— Il aurait fallu que la Bernadette voie ça, dit Edith sourdement.

Fabien cessa de manger et regarda longuement la fille. Son regard devint dur.

— Je comprends un reproche.

— Non. Tu ne comprends pas un reproche. Je dis ça, et c'est un regret. Un regret qu'elle ne soit pas là pour les voir, les champs que nous avons cultivés, mais ça n'est pas un reproche.

— Tu es venue à moi en sachant l'acte. Tu es venue parce que c'était la preuve. Nous en avons discuté. Maintenant, si tu recules, je dirai que tu ne m'aimes plus!

— Ce ne fut pas dit ainsi. Je me souviens du rire de la Bernadette, son rire mauvais. Elle croyait possible que les champs puissent donner sans toi, Fabien, ou moi. Voilà qui prouve ce que nous sommes . . .

— Ceci se comprend mieux. J'ai eu peur . . .

— De mes pensées?

— Oui.

— Tu vois? Elles sont toutes à toi, et pour toi . . .

— Je vois.

Il se remit à manger en silence.

Après un temps, il dit:

— Nous aurons, cette année, de quoi nourrir les bêtes de l'étable sans acheter au grand village. Le lait sera bon, à cause que le grain sera bon, et la crème se vendra bien. Nous aurons des sous dans le coffre.

— Ce sera bien ainsi.

Tôt ce soir, ils se couchèrent, pour bâtir la force qui sera le travail du lendemain.

Et au matin fait, quand ils eurent mangé, et que les vaches eurent été menées près de la maison, pour la traite, Edith et Fabien se tinrent debout sur le monticule devant la bergerie, et ils regardèrent cette terre qui était maintenant à eux, et qui vivait sous leurs yeux ce matin-là.

Le jour était beau, le matin doré, et l'heure était bonne à se laisser entrer dans le sang. L'air sentait les pommes, le lait chaud et la terre sèche. Les brises apportaient des chants d'oiseaux qui étaient plus sûrs et plus beaux, comme si durant l'été la bête avait appris à faire ses sons, et les faisait mieux et donc plus beaux. Des chants d'oiseaux et le cri des bêtes dans les fourrés, et le meuglement doux des vaches dans le pâturage.

Et celui qui marche dans les guérets, et guette voir ce qui va sortir de la terre, naître de l'animal, ou fleurir sur l'herbe, celui-là voyait maintenant le plein épanouissement des êtres et des choses, il se réjouissait de ces vies qui bruissaient, de ces choses qui vivaient au soleil.

Fabien, qui avait été l'homme dans les guérets, et qui maintenant voyait la splendeur des plantes mûres, se sentit des pensées nouvelles, et il regarda Edith en disant:

— Je comprends que des hommes fassent de la musique avec ces choses . . .

Il n'en dit pas plus long, et avec la fille se mit au travail ardu de mener les grains aux auges et le seigle dans la vannerie.

Le soir, quand Vincent-la-grosse-tête monta jusqu'à la ferme Loubron, et qu'il vint causer avec l'homme et la fille, Fabien le répéta:

— Toi, qui es comme une manière d'homme à se faire des pensées de livres, des idées de poésie, je te dis une chose constatée ce matin, et que je comprends, maintenant . . .

— Et ce serait quoi? demanda Vincent qui avait de la joie de ces mots, puisqu'il lui était rare d'en entendre au hameau, des mots comme les siens . . .

— Je comprends, lui dit Fabien, que des hommes fassent de la musique en voyant les beaux matins de moissons, avec la couleur et les sons, et le beau qui est partout. Moi, si j'avais les doigts agiles, j'en ferais de la musique ainsi, je sens que je pourrais en faire, si je pouvais comme ça dire avec le violon ou la flûte ce qui est en moi . . .

Edith approuva:

— Pour moi aussi, c'est de la musique. Une grande musique calme, douce, avec des notes en long. De la tristesse aussi, à cause que rien ne vit qui ne doive mourir un jour . . .

Et Vincent dit:

— Cela est surtout de la joie, Fabien. Je comprends Edith. De la joie triste, ce qui est possible, puisque la joie sort de la peine, ou entre dans la peine . . . Elle n'est qu'un court sentier . . . Comme la vie est la mort, à y bien penser . . . puisque l'on commence à mourir en commençant à vivre. C'est une pente à suivre. Mais je dis que c'est surtout de la joie. Plus encore que de la musique . . .

Edith protesta:

— Et la joie n'est pas musique? La musique n'est pas la joie? Y a-t-il une musique sans joie?

— On le dit, affirma Vincent. Songe à des musiques tristes, des chants de mort . . .

— Tu as dit que la joie peut être triste . . . Vois le cercle . . . De la joie triste, et la musique de joie triste est donc triste. C'est probable joie du corps qui vibre au son, sans cependant que le son soit gai, et même s'il est triste . . .

— Voilà, dit Fabien. Cela est bien dit. Il y a toujours de la joie dans la musique. Joie dans l'air qu'on entend, dans les notes. Si c'est une musique de tristesse, alors c'est la joie de celui qui est là, et qui jouit des sons faits sur l'instrument. Ou alors c'est seulement la joie faite par le corps qui vibre, comme le dit la fille . . .

— Moi, je vous comprends, dit Vincent. A vous entendre le dire, je le comprends. Parce que je suis ainsi fait que je comprends mieux les paroles d'idées que les phrases de ceux qui ne pensent qu'aux sons, aux sons provenant du grain levé que l'on moissonne. Quand vous parlez ainsi, je vous comprends . . .

— Il y avait un homme ici, au hameau, avant ton temps, Edith, et quasi avant le tien, Vincent, un homme qui jouait le violon à la veillée, quand j'étais petit. Il avait un grand visage morne et triste. Parfois, en jouant les sons de la danse, il avait des larmes dans les yeux . . . Je lui ai demandé, un soir qu'il jouait en pleurant, pourquoi il était triste en jouant la musique gaie, et il m'a dit que la gaieté elle n'était pas en lui, mais dans les notes de l'air, dans la gigue qui pétillait au-dessus des danseurs, qui se mariait à leurs pieds et les menait à travers les pas de la danse et du mouvement . . . Voilà qui dit bien ce que tu veux dire, Edith.

— Oui.

— Ça le dit bien, fit Vincent en approuvant de sa grosse tête.

— Il reste que moi, j'ai de la musique au cœur, dit Fabien, et que je chanterais. Si je savais comment, je prendrais le violon aussi, et la gigue serait vibrante, comme jamais entendue. Et je la ferais avec ce qui est en moi depuis ce matin.

— Tu es poète, dit Vincent, tu es comme je suis ... On m'a dit que j'étais poète ...

— Non, moi je suis seulement un homme. Cela est suffisant. Et celui qui ne ressent rien de ce qui se passe dans le monde en ces heures de moissons à faire, n'est pas un homme fait de Dieu. A moins qu'il ne soit, et ayons pitié de lui, une erreur de Dieu, et un laissé pour compte ... Toi, Vincent-la-grosse-tête, que ressens-tu de ces jours?

— De la joie. Comme toi, de la joie. Du beau rythme qui s'infiltre en moi. Des notes longues. Des mots qui se pressent dans ma gorge. Je voudrais baiser la terre à pleines lèvres, crier ...

— Vois, tu sens la musique en ces choses. Toi aussi tu la sens. La mélodie et le rythme, le chant et la cadence.

— Je la sens, fit Vincent, sans bien le savoir. Mais maintenant que tu le dis, je crois bien le sentir comme tu le dis.

Puis ils restèrent longtemps silencieux dans la grande cuisine basse.

Il y avait un peu de feu dans l'âtre, et cela jetait une lueur tremblante dans la pièce aux poutres basses et noires.

Fabien avait laissé la porte largement entrouverte, et il entrait des restes de jour, avec des rouges et des ors, alors cela était, cette lumière du dehors et la lumière jaunâtre de l'âtre, comme une espèce de

138

lumière irréelle qui jouait sur tout, qui peignait les chaises lourdes en bois grossier, et la longue table taillée à la hache, dont le bois usé par quatre générations de Loubron était de couleurs riches comme tout le beau jour de cette année-là . . .

Longtemps donc, assis autour de la table, les mains étendues devant eux, ils restèrent ainsi, silencieux, la femme aux cheveux lisses et les deux hommes, à songer à ce qui avait été, à ce qui serait.

Puis Vincent parla, en hésitant, comme s'il ne voulait pas briser le silence, mais les mots étaient là, impérieux, qui voulaient sortir.

Maintenant, il faisait presque nuit dans la pièce, et le feu de l'âtre achevait de mourir.

Dehors, le soleil avait disparu, et la grande ombre montait de la plaine.

Un loup hurla, très loin, par plaisir, en jappant presque, car il n'avait pas faim.

— J'étais venu, dit Vincent, rapport que j'avais comme un message à vous dire à vous deux.

— Un message? dit Fabien. Et qui donc nous enverrait un message . . .

Vincent ne bougea pas. Il fut quelques secondes sans parler, et l'on entendit dehors un grillon qui chanta.

— C'est rapport qu'au hameau, il se dit des choses, et il se pourrait qu'on vienne. La mère Druseau dit qu'elle viendrait probable. C'est elle surtout qui en parle . . .

— Parle de quoi?

— De toi, le Fabien, et de la fille . . .

— Et alors? Qu'est-ce donc qu'on dit, de moi et de la fille?

139

— On dit ça rapport au mariage... Oui, au mariage. Songe que je ne dis rien, moi. C'est que je vous aime bien tous les deux. Je viens en manière de vous dire avant ce qui pourrait arriver. C'est pour vous avertir. Quand on le sait, on a les réponses prêtes...

— Il faudrait parler, dit Edith, se comprendre... Qu'est-ce qu'il y a, rapport au mariage.

— Il est dit, fit Vincent en ravalant sa salive, que ce serait mieux si vous étiez mariés...

— Mariés? dit Fabien, mariés devant l'Eglise?

— Oui.

— Avec un curé et la messe, et tout le rite?

— Oui.

Fabien fut soudain violent. Il se leva en repoussant derrière lui la chaise lourde qui alla choir sur le parquet de terre battue:

— Je dis ceci, fit-il, je dis ceci, et c'est à remarquer, car les mots portent. Un mariage, si j'en parlais à l'Edith, ce serait une insulte...

— Alors quoi, dit Vincent, je n'y suis pour rien. Ne me frappe pas!

Fabien avait levé le bras sur l'homme à la grosse tête...

Il le baissa aux mots de Vincent, et se tint droit devant la table:

— C'est une insulte à l'Edith! Et ça se comprend! dit Fabien. Ou encore ça ne se comprend pas, et ce serait bien inutile d'en parler. J'aime cette fille, voilà. Je l'aime à toute force du cœur. Je l'aime à ne plus savoir où mettre cet amour en moi, tant il y en a que ça déborde. La fille le sait. Elle sait que je l'aime. Elle a les preuves, et moi j'ai les preuves

140

qu'elle m'aime... nous sommes unis. Si j'exige
d'elle une plus grande union, c'est une insulte...
Aurais-je crainte qu'elle me quitte? Je n'aurais donc
pas confiance en elle?

Il se fit tout à coup une ombre plus grande près
de la porte, et Vincent-la-grosse-tête eut un gémissement.

Alors une voix qui vint de cette porte dit:

— J'avais vu monter Vincent ici. J'ai pensé que
c'était pour ça, pour t'avertir, Fabien, de mes idées
sur le mariage. Alors je suis venue aussi, au risque
du noir, par le sentier.

C'était la mère Druseau, et elle avança un peu,
pour que la dernière flamme de l'âtre vienne se
jouer sur elle.

Fabien la regarda, puis il eut un mauvais sourire...

— Vous aviez crainte que j'aie de trop bonnes
réponses à vous dire? Soit, ce pourrait être ainsi,
excepté que la réponse, vous venez de l'entendre...
Vous l'avez tout entendue?

La vieille femme, mince et maigre, décharnée, se
tenait debout devant Fabien, plus grande que lui, et
le visage austère:

— Je suis venue, Fabien, et crois-le, surtout à
cause que le mariage, pour l'homme et la fille Edith,
ce serait mieux selon les rites, et de meilleure reli-
gion. Vous avez péché. Tu sais comment. Moi, je
parle pour le pardon des fautes. Le dernier pardon
serait le mariage.

Fabien s'appuya sur la table, et dit à Edith sans
se retourner:

141

— Fille, mène la lampe plus près, et allume-la. Nous avons besoin de lumière.

Et pendant qu'Edith s'affairait à cette tâche, Fabien montra la porte au Vincent.

— C'est le temps de partir, l'homme. Ce qui est à dire est entre la mère Druseau et moi. Mais ne va pas trop loin, car tu la mèneras dans le sentier, plus tard.

— Soit, dit la mère Druseau, et ce sera mieux ainsi.

La lumière jaillit de la lampe, l'éclaira, et on eut dit une morte, tenue debout par des ais, et qui dominait Fabien de toute la tête.

Il frissonna.

Vincent était sorti, et Fabien le voyait qui allait vers la bergerie, d'un pas calme et lent.

— C'est ainsi, dit-il, en le montrant. Vois l'homme paisible, qui peut tout oublier des tourments. Il ferme sa pensée...

— Toi, tu ne peux pas? demanda la mère Druseau.

— Oh, moi...

— Tu as dit qu'il fallait être seuls pour les choses à me dire? Et quelles sont ces choses?

Fabien montra la chaise qu'avait quittée Vincent:

— Asseyez-vous, mère Druseau, et restez là, à m'écouter... J'aurais pu, quand vous êtes entrée, que vous avez parlé, crier et rager. A la première seconde, ce fut mon idée, puis ensuite, j'ai songé...

— A ton crime?

La voix avait été un couteau tranchant, et Fabien devint pâle, immobile sur sa chaise.

— A ton crime? répéta la mère Druseau. A ton crime d'avoir assassiné la Bernadette?

La voix de Fabien devint un souffle.

— Je me disais que cela viendrait un jour. J'attendais ça. C'était trop beau. Comment avez-vous su, mère Druseau, qui vous a dit?

— Personne ne me l'a dit, affirma la vieille femme. J'ai deviné. D'abord à cause des assiettes mal disposées sur la table. Tu te souviens, Edith? Et puis, ensuite, j'ai deviné que c'était ça, la grande misère en vos yeux, et la lèvre que vous faites, la lèvre mince, inquiète ... Qui de vous deux a tué la Bernadette?

Mais elle poursuivit sans attendre la réponse.

— Je pose la question en connaissant bien la réponse. Ce ne serait pas le geste d'Edith, mais ton geste, Fabien. Tu as vécu en brisant tout devant toi. Souviens-toi de ton enfance, de ton adolescence. Je t'ai vu grandir, je sais comment tu es. De l'entêtement, que tu nommes, toi, de l'opiniâtreté. La Bernadette est venue entre toi et l'Edith ...

Fabien secouait la tête, le visage plein d'incrédulité:

— Il a fallu que quelqu'un vous raconte. Il a fallu que quelqu'un confirme vos doutes. Vous êtes trop sûre de vous. Vous savez tout. Qui vous a raconté?

Il se tourna, comme un fouet qui siffle dans l'air, bondit sur Edith.

— C'est toi! Tu as tout dit! Tu as tout raconté!

Mais la voix de la mère Druseau brisa le geste, immobilisa Fabien.

143

— Tais-toi, Fabien! Assieds-toi là, devant moi, comme tu étais tout à l'heure. Edith ne m'a rien dit. Edith est plus loyale que tu ne le seras jamais. J'ai deviné. Cela se devinait bien. Au hameau, on n'a rien vu. La mort de Bernadette, un accident, comme c'est dommage! Et puis on a versé quelques larmes . . .

— Et vous aviez tout deviné? dit Edith.

La mère Druseau secoua lentement la tête, un sourire étrange sur les lèvres:

— Non, pas tout. Et surtout pas si vite. J'ai deviné le reste ce soir, en vous voyant. Cela était dans vos yeux . . .

Fabien eut un geste impatient:

— Soit, dit-il, soit! Voilà longtemps que je veux cette chose dite à trois. La fille, moi et quelqu'un d'autre. Tant mieux que ce soit avec vous. Nous n'en avons jamais parlé. Savez-vous ce que c'est que le geste fait en spontanéité, sans bien y réfléchir? J'avais tout d'abord cru que ce serait simple. Une querelle, un départ, s'en aller n'importe où . . . ensuite, il a fallu que je reste. Il fallait que je reste. J'avais tué la femme. Cela avait été double geste, dites-vous ça. A cause de l'obstacle, à cause de la preuve à offrir pour l'Edith qui ne croyait pas en moi.

— Non?

— C'était la laideur . . . Essayez de comprendre . . . D'ailleurs, vous pouvez regarder et voir. Elle ne croyait pas que je puisse l'aimer, et ce fut une preuve. Cela m'est venu comme un coup de sang. Un geste, le cri de la femme, la mort. Ensui-

144

te, j'ai raisonné... Mais ensuite, et non avant. Croyez à ceci, mère Druseau.

— J'y crois.

— Et vous approuvez?

— Je crois sans approuver. Ce fut tout de même un grand péché...

— Il y a votre conscience et la mienne. Deux galets ne se ressemblent pas, deux épis ne se ressemblent pas. Il sont des galets ou des épis, mais ils ne se ressemblent pas.

— C'est juste, et je dis que c'est un péché.

— Moi je ne le crois pas.

— Mais ceux du hameau? Les jeunes qui croiraient en vous deux? Il ne faut pas que ce soit ainsi. As-tu fait ces choses pour que d'autres t'imitent, Fabien?

Il crispa le visage, et se tordit les mains:

— Non! non! gémit-il.

— Alors songe à cela, et moi je te dis que le péché serait grandement réparé si vous passiez devant le curé pour être mariés suivant la loi de l'Eglise. C'est un avis et sans plus...

Edith parla soudain.

Elle avait été longtemps silencieuse, et quand elle parla, ce fut d'une voix sourde, en regardant le bois de la table, les deux mains bien serrées, à faire blanchir les jointures...

— Comprenez bien, mère Druseau, que je vous connais peu. Je vous aimerais beaucoup, car vous avez la juste raison des choses. Mais il faut aussi nous comprendre. Le mariage, cela est fait pour embellir une chose laide, rectifier une chose qui n'est pas selon les lois. Mais notre amour, celui de

Fabien et le mien, il est au-dessus des lois, mère Druseau. Il est plus beau que les choses humaines. Il n'a pas à être embelli, purifié. Nous sommes unis comme la fleur est unie à sa tige, un lien noué par Dieu, sans l'aide de la créature, et que seul Dieu peut nouer. Comprenez-vous ça, mère Druseau?

La vieille femme se leva, et marcha doucement vers la porte.

Quand elle fut sur le point de sortir, elle dit:

— Sans le mariage, il restera toujours du péché. Le péché est laid. Le péché est laid à l'œil de Dieu. Vous avez versé le sang pour votre union; est-elle donc si belle? Prenez garde que le fruit n'en soit point un mauvais fruit ...

Elle se tint un instant, dos tourné, dans l'embrasure de la porte. Dehors, c'était le soir noir et les sons du soir.

Puis elle se retourna:

— Avec moi, en moi, dit-elle, le secret est bien gardé. Nul au hameau ne saura que tu as tué la Bernadette. Je garderai tout en moi ... Fabien.

Et elle sortit.

Après qu'elle fut rendue loin, Fabien resta longtemps près de la table, la tête entre les mains.

Edith était allée dehors, s'asseoir sur le banc de pierre, adossée au mur de la maison.

Elle s'était appuyé la tête contre le mur blanc, et elle avait les yeux fermés.

Elle n'entendait pas les bruissements de la nuit, et elle ne voyait pas la splendeur du ciel.

Plus tard, elle rentra et vint toucher à l'épaule de Fabien:

— Viens, dit-elle, allons nous coucher. Demain sera une autre dure journée ...

L'homme se leva et marcha derrière la fille.

Dans la chambre, alors qu'elle enlevait sa chemise et révélait son corps maigre, Fabien l'arrêta à mi-geste:

— Je dis ça, dit-il, parce que c'est bon de savoir. Cette question du mariage entre toi et moi, elle est de ton choix. Dis ce que tu préfères ...

Mais Edith secoua la tête lentement:

— Ce serait inutile. Nous n'avons pas besoin de ce lien, nous en avons d'autres.

Et Fabien inclina la tête lentement:

— Oui, c'est vrai, nous en avons d'autres ...

*   *   *

Le lendemain matin, ils partirent ensemble, et ils menèrent leurs faux dans les clos d'avoine et jetèrent les bras dans le rythme large qui abat l'outil et le remonte et couche par terre les plantes qui seront les gerbes, et plus tard le grain lisse et blond qui coulera dans la main comme un précieux métal. Et dans l'air clair et le matin serti de bleu, d'or et de vert, ils chantèrent au rythme des faux, et leur voix se perdit dans le haut du ciel, et coula le long de la terre riche, et vint mourir contre les pentes de la montagne, et le ruisseau de la Gueuse chanta avec eux, et les sapins bruissants chantèrent avec eux, et tout le beau jour chanta avec eux.

Le nuage était dissipé et le noir parti. Dans leur mémoire, la visite de la mère Druseau n'existait plus, et il restait seulement la terre riche et la récolte, la musique de la joie et du travail, la bonne fatigue des muscles heureux.

XV

Le jour vint où le grain fut entassé dans les auges, et le foin riche engrangé.

Et le matin de ce jour-là, en se levant, Edith eut un haut-le-cœur.

Et comme ce n'était pas le premier matin, et que d'autres signes étaient là, Edith toucha du doigt le bras de l'homme et montra son ventre:

— Je te fais là un enfant, dit-elle. Hier encore je n'en étais point sûre, mais ce matin tout me le démontre.

Et elle sortit pour avoir ses nausées dehors, sur le pas de la porte.

Fabien marcha doucement derrière elle, en se mâchant la lèvre, les mains tendues comme pour la retenir si elle tombait.

Il ne dit rien, mais quand elle cessa d'être malade, il la prit dans ses bras, et il la tint longtemps là, sans la serrer, sans l'embrasser, seulement au chaud de la peau, comme pour lui transmettre sa joie.

Plus tard, il ne voulut point aller aux champs:

— Tout peut attendre, dit-il, le travail peut attendre. Je songe à toi. Ici toute seule dans la maison. Tu as besoin de moi.

Mais elle se mit à rire:

— Tu n'en sais rien. Tu n'as jamais connu de femme en mal de faire un petit?

— Non.

— Tout est nouveau. C'est neuf. Il reste bien sept mois avant que ne vienne l'enfant. Je suis forte et rien n'est à craindre. Va aux champs; quand le temps viendra où je serai lourde sur mes jambes, j'aurai besoin de toi. Aujourd'hui, et les mois à venir, je peux vivre seule. Va aux champs.

Fabien y alla, mais de mauvais gré, en murmurant qu'il devrait être à la maison à l'aider, qu'il ne devrait pas s'éloigner.

Durant quelques jours, ce fut ainsi.

Il refusait de laisser travailler Edith, il était autour d'elle comme une mouche autour du miel, et portait tout pour elle.

Edith se lassa.

— Je te le dis, Fabien, il vaut mieux que je travaille, que je porte les choses, que je marche ici et là. Cela est mieux pour moi et pour l'enfant. Alors fais ton travail, vaque à tes affaires, moi je suis bien ainsi!

Il comprit, et la laissa tranquille.

Mais il avait toujours l'inquiétude dans les yeux.

Il la regardait sans sourire.

Et si la joie qu'il avait était grande, elle ne se montrait pas en éclats et en rires gais, mais elle était proche de la souffrance, comme une grande angoisse.

Quelque chose qui étouffait, qui faisait quasi pleurer, qui retenait Fabien, qui l'enserrait.

Le soir, il ne dormait pas. Il s'étendait aux côtés de la femme, sans dormir, les yeux grands, à regarder les poutres du plafond.

150

Dans sa tête se jouait le jeu de la vie. Il réalisait le miracle qui s'échafaudait de la nature multipliée, de la vie créée qui va naître, qui va surgir à l'air libre, nouvelle et magnifique, l'enfant vagissant, puis croissant de jour en jour, vie imitée, fils suivant le père, répétant les gestes, ayant les idées . . .

Dans les champs frais labourés, il songea à ces choses.

Quand il mena ses bêtes au bois pour quérir les arbres abattus, il étudia les choses à dire quand l'enfant serait à ses côtés.

Les principes qui s'enseignent, le droit chemin, la vie sans mensonge, la volonté des actes. Tout ce qui avait été en lui, la façon de vivre et les idées.

« Je lui dirai le chemin à suivre. Il sera loyal et sincère, et il aura la volonté de ses actes. Il sera ce que je le ferai. »

Les semaines durant, et tant que ne vint pas la neige, ce fut ainsi. De longs soliloques.

On voyait, sur les sentiers de la ferme, marcher Fabien; son corps solide, nouveaux, sa tête aux cheveux blonds, frisés ras sur le crâne, ses yeux clairs et bleus, se remémorant les choses dites autrefois par son père.

— Je lui enseignerai comment mener deux bœufs devant la charrue, et comment tracer le sillon. Je lui dirai comment imaginer un point là-bas, et trancher la terre jusqu'à ce point, en ligne droite.

Il errait dans son bois.

— Ici il apprendra comment abattre les arbres, comment frapper de la cognée pour que le tronc tombe où il le faut, entre ces hautes épinettes, ou à côté du bouleau blanc. Il apprendra comment ten-

151

dre le piège pour que se prenne le renard, ou le loup, comment faire un feu pour se chauffer en hiver, quand il abattra des arbres et que le froid lui gèlera les doigts.

Dans l'étable, c'était la même chose.

Toujours les pensées de choses continuées. De vie que l'on transmet, pas seulement de chair à chair, pour que le sang coule et les muscles se fassent, mais l'autre vie aussi, les pensées et le savoir, les volontés et les façons.

Vint la neige épaisse et lourde, le bois abattu et transporté, les animaux au chaud de l'étable.

— C'est l'hiver, dit Fabien à Edith, maintenant nous vivrons ici sans bouger. Les animaux à nourrir le matin et le soir, mais ce sera tout. Le jour, la vie immobile . . .

— Il n'y a rien à réparer? Les charrues sont toutes bonnes et les herses aussi? demanda la fille.

— Oui. Il n'y a qu'une des voitures que je devrai peinturer, parce que le métal rouille et il faut craindre l'eau qui pourrit le bois. Mais c'est tout.

— Tu seras dans la maison?

Il fit oui de la tête et s'approcha de l'âtre.

— Ce sera peut-être mieux ainsi, dit la fille, en soupirant. Je me sens déjà lourde. Encore trois mois pour l'enfant à naître, et je me sens déjà lourde. On dirait qu'il ne bougera jamais de là, qu'il est énorme, endormi en moi . . .

Fabien sourit et vint se tenir près d'elle.

Il la prit par la taille, gauchement à cause de la rondeur que cela faisait et qui n'était pas comme avant, une rondeur qu'il avait crainte de serrer.

— Je serai ici, dit-il, non loin de toi. Je t'aiderai à vivre. Quand le temps viendra...

— Le jour où je te le dirai, Fabien, tu iras au hameau, chercher la mère Druseau. Je l'aime bien, malgré ce qu'elle a dit. Je sais qu'elle comprend. Tu iras la chercher, et elle m'aidera à sortir le petit.

— J'irai, l'Edith, ne crains rien, j'irai. Tu n'auras qu'à me le dire. Si c'est la nuit, pousse du coude et ne dis qu'un mot, je serai debout, prêt à partir...

— Je suis heureuse, Fabien, à cause du petit, et à cause surtout que tu es bon pour moi, et que je puis compter sur toi. Je suis heureuse à cause de tout ça. Doublement donc à cause du petit. De la joie en retour. De la vie morne pour tant d'années, et maintenant la bonne vie. Double joie, je le dis. Celle qui n'a jamais été là, auparavant, puis l'autre, deux fois de l'une, deux fois de l'autre...

Elle montra ses larmes, sur les joues.

— Comprends-tu, Fabien?

Alors il la fit asseoir, et il s'assit non loin d'elle, en tirant la chaise sur le parquet de terre battue.

Dehors il y avait un vent rageur qui secouait les pignons et ébranlait les poutres.

Une neige fine tombait, et la lumière qui entrait des carreaux était grise, n'éclairait rien.

La lueur chaude de l'âtre rougeoyait, et la bonne chaleur s'étendait partout, défiant le jour froid à travers les murs de terre et les planches épaisses avec lesquelles on avait recouvert les murs de la cuisine, les planches de pin noueux qui s'étendaient horizontalement sur les murs.

Quand ses larmes furent séchées, Edith alla chercher son rouet, et fila adroitement de la fine laine blanche.

— Pour le petit? demanda Fabien en montrant l'écheveau.

Elle inclina la tête en souriant, mais sans perdre le rythme du pied et la vitesse de la grande roue.

— Oui, dit-elle, pour le petit. Pour lui tricoter des bas, des vêtements, de quoi le tenir au chaud dans la maison.

Fabien la regarda longtemps filer la laine, puis il sortit, se dirigea vers l'étable, car c'était l'heure du jour où il fallait soigner les animaux, traire les vaches.

Quand il entra, une heure plus tard, il tenait à la main l'un des seaux luisants où s'éclaboussait le lait tiède:

— Tiens, dit-il à Edith, j'ai rapporté plus de lait que d'habitude. Tu vas en boire. Cela sera bon pour toi et pour le petit.

Elle avait mis la table, durant l'absence de Fabien, et la soupe fumante était dans la marmite, pendue à l'âtre.

Elle prit le lait de la chaudière et le versa dans un grand pot.

— Le reste ira dans la soupente, dit-elle. Je boirai celui-ci.

L'hiver fut dur, et la neige s'amoncela contre la maison, la couvrant presque.

Fabien dut souvent déblayer un chemin de la porte à l'étable, et quand il marchait dans cette tranchée, la neige était plus haute que lui.

Tous les jours le vent sifflait, soulevant la neige en grands nuages froids qui abattaient tout sur leur passage.

Personne ne voyageait dans les sentiers, et en bas, au hameau, on ne voyait, la journée longue, que de rares courageux qui bravaient le grand vent.

Semaine après semaine, toujours ce vent hurlant, le froid à geler l'âme, le temps triste et la neige. Des millions de tonnes de neige.

— Au printemps, disait souvent Fabien, la plaine sera inondée par toute la neige de la montagne.

Janvier s'écoula, puis février. Des mois hargneux et sans douceur. Puis mars vint, et fut plus tranquille.

Dans le corps de l'Edith, l'enfant bougeait et cherchait le jour.

— Le temps vient, disait Edith. Ce sera pour bientôt.

Et sur ses doigts elle comptait avec Fabien les mois faits.

— Je songe à la fin du mois, disait l'homme. Fasse que le chemin soit passable, ce jour-là ...

Car les jours étaient plus longs et le soleil plus chaud. La neige fondait. Oh, pas d'une traite, en grands dévalements d'eau, mais par en dessous, encadrée par la chaleur de la terre et celle du ciel.

Elle était maintenant moins haute que la maison, et il y avait des odeurs de printemps dans l'air.

Un soir, Fabien dit en entrant:

— Dans quelques jours, nous serons en avril. Ce sera le beau mois. La neige descend et le chaud soleil va tout faire fondre d'un coup. Un jour ce sera chaud, et la vie renaîtra ...

155

Il vit Edith qui était assise devant l'âtre, avec un drôle de sourire sur les lèvres:

— C'est le temps des vies à naître, dit-elle, c'est bien le bon temps pour ces choses!

Il la regarda longuement, mais elle s'était levée pour vaquer au souper.

Pesante et balourde, avec le ventre maintenant énorme qui était devant elle, qui la faisait étrange avec sa silhouette mince, vue d'en arrière, ses épaules étroites, sa tête maigre, mais vue de côté avec le ventre ballant, et les seins maintenant assez gros pour paraître, elle avait une allure lourdaude.

Fabien ne voyait pas ça.

On eût dit que ses yeux perçaient la peau, et qu'il voyait l'enfant dans le corps de la fille, l'enfant couché là, endormi, attendant la naissance.

Ils soupèrent, et l'Edith avait toujours ce sourire étrange.

Une fois, elle eut un geste convulsif, une contraction des lèvres.

Mais Fabien ne la vit pas. Il était occupé à manger.

Après le souper, elle s'assit devant l'âtre, et tricota.

Vers huit heures, alors que le soir était tombé et que seul l'âtre éclairait la pièce, elle se leva, droite devant son homme, et elle se tint le ventre à deux mains.

Soudain la douleur la plia en deux.

Quand elle se releva, de grosses gouttes de sueur lui perlaient au front.

Le temps est venu, dit-elle, va quérir la mère Druseau. Depuis ce midi que je souffre.

156

Fabien courut. Il courut en cercle autour de la cuisine, ne sachant plus par où commencer.

Mais Edith sourit:

— Ce n'est pas ainsi, Fabien. Il y a des choses à faire, maintenant, et il faut avoir l'esprit clair. Songe à tout faire, et tu n'auras plus le temps d'être nerveux ... Viens me mener au lit, j'ai peine à marcher.

Il la mena au lit.

— Je vais aller atteler un cheval, quérir la mère Druseau au hameau.

— Il faudra de l'eau, dit Edith, remplis une marmite et pends-la sur le feu de l'âtre. Quand vous reviendrez, l'eau sera là ...

— Oui.

Il fit ce que disait Edith, puis il attela le cheval et partit vers le hameau, fouettant la bête pour qu'elle ne reste pas dans les ornières et les trous du chemin encore enneigés.

Quand ils revinrent, l'homme et la vieille femme aux yeux sérieux, ils trouvèrent l'Edith tordue sur le lit, se plaignant doucement.

— De l'eau, dit la mère Druseau, et des linges.

— Ce sera tout? demanda Fabien.

Elle montra ses mains:

— J'ai le reste ici, dit-elle.

Puis elle entra dans la chambre et referma la porte.

Ce fut long.

Long et ardu.

Dans la cuisine, Fabien usa le parquet de terre battue, à marcher ainsi, de là à là, d'ici à là, en contournant les meubles, incapable de rester assis.

Une sueur froide lui coulait sur le visage, et quand les cris se faisaient plus déchirants, dans la chambre, quand le cri devenait cette clameur animale, immense, qui est la clameur de la femme accouchant de la vie, Fabien se tenait la tête à deux mains.

Et il gémissait avec la fille Edith, une longue plainte sourde, qui se changeait en sanglot quand le cri de la fille atteignait le haut point, le sommet de la douleur.

Puis, au repos, quand elle ne faisait que geindre, Fabien se calmait, comptait les secondes et les minutes, regardait souvent la grosse horloge de bois sur le mur.

Et puis, tout à coup, le cri fut terrible.

Il s'était assis, comme ça, sur le devant du siège, seulement assis parce qu'il ne pouvait plus rester debout, pour changer le mouvement et la position.

Le cri le projeta hors de la chaise, debout, frémissant devant la porte de la chambre.

Un cri qui lui sonna jusque dans les entrailles, un son rauque, immense, originel.

Et à travers la porte il entendait les paroles douces de la mère Druseau, son murmure d'encouragement.

Puis le cri s'abaissa, s'amenuisa, ne devint plus qu'une plainte, puis un gémissement, puis, plus rien ...

Longtemps, Fabien attendit.

— Elle est morte! cria-t-il. Elle est morte!

Puis il se rua sur la porte.

Quand il entra, trébuchant sur le seuil, livide, tremblant, il vit la mère Druseau debout devant le lit, le dos tourné à lui.

Edith, les yeux fermés, était couchée sous les draps.

Fabien cria de nouveau.

— Elle est morte! Mais parlez donc!

Alors il vit un geste sec de la vieille femme, et elle se retourna du même coup, tenant au bout de son bras l'enfant rouge et luisant, à qui elle venait de donner la gifle.

Et l'enfant se ramassa en une boule, détendit ses jambes brusquement, et laissa échapper un long pleur puissant.

Et la mère Druseau le tint encore quelques instants devant Fabien qui maintenant riait et pleurait, puis elle le prit entre ses bras, et elle le berça doucement, pendant qu'elle l'enveloppait de langes.

Puis elle le mit dans les bras de son père.

L'enfant dormait.

— Edith, dit Fabien, Edith, comment est-elle?

— Elle dort, dit la mère Druseau. Elle va dormir encore plusieurs heures. Tout va bien. Elle est forte. Maintenant, il lui faut dormir.

— Mais l'enfant? Que faire avec l'enfant?

— Rien. Il dormira lui aussi. Dans quelques heures, il s'éveillera, alors tu lui feras sucer ton petit doigt. Il se rendormira aussitôt. Demain matin je reviendrai. La Judith de Coudois viendra aider ta femme durant ses relevailles.

— C'est bien honnête.

— On se le doit, entre gens du même pays.

159

Puis la mère Druseau sortit, et Fabien resta seul, l'enfant dans ses bras.

Il le mit dans le ber de bouleau qu'il avait taillé lui-même, et dans lequel Edith avait placé les langes, tricotés par elle, avec cette laine qu'elle avait filée au long de l'hiver.

Puis il vint s'asseoir auprès de l'Edith.

Elle ne s'éveilla pas quand il lui prit la main, mais son visage décharné sourit.

Et Fabien se pencha sur elle, l'embrassa à pleines lèvres.

Elle bougea, se colla contre lui, mais ne s'éveilla pas encore.

Alors il se coucha près d'elle, tout habillé, l'odeur de purin dans sa vareuse, bien au chaud près de la fille.

XVI

EDITH ET FABIEN mirent six mois à se rendre compte que l'enfant n'entendrait et ne verrait jamais.

Ils y pensaient, mais sans se le dire.

C'était un doute dans leur esprit, un doute qui était trop horrible pour en parler.

Est-ce qu'on parle de la mort qui vient? Ou de la faim qui va tuer?

Puis un jour Edith le dit à Fabien, ainsi:

— Il faudrait que l'on se fasse à l'idée, Fabien.

— Quelle idée?

— Vois le petit, et dis-moi ce que tu penses. Il dort, il s'éveille. Et c'est la même chose. Quand il a les yeux ouverts, ils sont grands, mais ils ne voient rien. Il regarde sans voir.

Fabien était devenu pâle.

Debout devant le ber, il murmura soudain:

— Et quand on lui parle, il n'entend pas.

Il pivota vers sa femme, et il lui prit les bras, la secoua comme un arbre qui va laisser tomber ses fruits.

— Mais comment donc l'as-tu fait, cet enfant? Et qu'avais-tu dans le ventre qui le rende ainsi? Pourquoi nous avoir fait ça, à nous!

Elle gémit, se dégagea.

Fabien se mit à marcher de long en large dans la chambre.

— Je le vois depuis je ne sais plus combien de semaines. Au début, c'était ce que ça devait être, un petit qui vagit et qui ne voit rien, puisque ses yeux sont encore mal habitués aux grandes lumières de notre monde. Mais avec le temps, cela se constatait, il n'avait pas des yeux pour voir les choses. Il n'avait que ça, des boules inutiles. Et puis j'ai senti que je parlais sans être entendu. Toujours là, couché dans ce ber, ne bougeant presque pas, une masse de chair . . .

Et il cria encore:

— Mais comment donc vais-je enseigner ce qui est à savoir? Et comment pourra-t-il voir ou comprendre?

Edith geignit à travers ses larmes.

— Il ne verra rien et n'entendra rien. Il sera toujours ainsi . . .

— Nous pourrions avoir un médecin qui viendrait de la ville . . .

— Tu as connu un médecin qui faisait des yeux et des oreilles? Y a-t-il des potions qui le feront voir?

— Je ne sais pas. Je ne sais rien. Je suis comme lui, moi, tout à coup. Je ne sais rien. C'est un grand vide. C'est une nuit d'hiver sans lune et sans vent. Un grand vide blanc, sans sons et sans mouvement.

Il resta longtemps devant le ber, à regarder le petit qui était là.

Puis il sortit.

162

Edith resta seule devant l'être qui avait encore besoin d'elle.

Plus tard elle lui donna le sein, mais l'enfant ne voulut point du lait pauvre.

Alors elle le coucha et le laissa pleurer.

— Demain, murmura-t-elle, je commencerai à le sevrer.

Puis elle se remit aux travaux, distraite, les yeux fixes.

La douleur était plus grande qu'elle-même, et elle ne la comprenait plus.

Elle entendait des mots.

Les mots rageurs de Fabien: « Qu'avais-tu dans le ventre qui le rende ainsi! »

Et quand l'homme entra, fourbu, avec la faim au creux du corps, elle mit la soupe sur la table, et ils mangèrent.

Entre deux bouchées, elle dit, tout à coup:

— Ce n'est pas ce que j'avais dans le ventre, Fabien. C'est ce que nous avions au cœur.

Elle continua avant qu'il ne puisse parler:

— Je veux dire pour la femme tuée, Fabien, et la vie sans mariage. Voilà ce qui était. Du péché qui nous a fait cet enfant.

— Tu le dis?

— Je le pense.

— Alors il ne faut pas le dire.

Elle lut la rage froide dans son visage.

Elle eut peur.

— Fabien, cria-t-elle, c'est ainsi que ça pourrait être. Je ne dis que des choses qui comptent. Tu veux savoir ce qui a mis l'enfant sourd et sans yeux pour nous voir! Je te le dis que c'est la Bernadette tuée, et notre vie qui est la cause . . .

— Tu as parlé toi-même d'amour lié par Dieu, qui était au-dessus du mariage et des lois des hommes. Tu l'as dit toi-même.

— J'y croyais.

— Tu n'y crois plus?

— Non.

— Mais moi j'y crois encore. Alors je dis que c'est en ton ventre. Une mauvaise façon de faire l'enfant. Mauvais sang, mauvais muscle, est-ce que je sais? L'enfant est venu de là . . .

Edith soupira.

— Soit, dit-elle, disons donc pour le mauvais sang. Puisque je suis laide, mon sang peut être laid . . . Soit. Mais songe à l'avoine qui lève mal, qui donne de mauvais épis. Cela se voit. Tu as vu de cette avoine . . .

— Oui.

— Et souvent c'était la semence . . .

Il se leva, terrible, de l'autre côté de la table.

Maintenant, la lumière de la lampe l'éclairait par en bas, en remontant, en lui laissant le haut du visage dans l'ombre, et il semblait un démon, une sorte de monstre horrible.

Elle cria.

— Fabien!

— Tu parles de la semence? Donc ce serait moi qui aurais fait cet enfant ainsi?

— Et la semence? hurla Edith, qui l'a mise en moi, la semence? Est-ce le fils du voisin, ou est-ce toi?

164

—C'est moi! Mais ma semence était bonne, comme elle doit être! C'est la friche ensemencée qui était mauvaise. La mauvaise friche de femme laide, au corps sec! Comme la terre sans eau. Le corps sec, le ventre sans sucs pour faire l'enfant. Voilà ce qui a été. La semence? Mais qui blâmera la semence en voyant en quelle terre elle a été jetée!

Alors Edith se leva à son tour, et elle recula.

Elle recula lentement jusqu'à la porte de la chambre.

En faisant de drôles de petits sons, comme des gémissements parfois, comme des rires parfois.

Elle recula comme ça, jusqu'à la chambre, et puis quand elle fut dans la porte, elle hurla soudain, comme une clameur, comme le cri qu'elle avait eu quand l'enfant lui était sorti du ventre pour venir glisser entre les mains de la mère Druseau.

Puis elle courut se jeter sur le lit, criant toujours.

Peu à peu elle se calma, et quand Fabien se leva pour aller voir dans la porte, elle dormait, épuisée par le choc.

Il eut un geste, mais il le retint.

Alors il revint vers l'âtre, et se laissa tomber sur le banc.

Longtemps il regarda danser la flamme.

Vers le milieu de la nuit, il sortit et alla marcher dans la montagne.

Edith dormit jusqu'au matin.

* * *

A partir de cette minute-là où Fabien avait dit à l'Edith qu'elle n'était qu'une femme laide, la fille vécut des jours mornes.

Elle les vécut immobile.

La besogne faite, elle allait s'étendre sur l'herbe en avant de la maison, dans les derniers soleils du tard été.

C'était octobre et l'air était bon.

Elle couchait l'enfant contre elle, chair contre chair, et elle ne bougeait pas.

Une fois, Vincent-la-grosse-tête vint, mais quand il se mit à lui parler de l'enfant, elle bondit et le chassa en lui lançant des pierres.

Quand Fabien entrait, elle ne parlait pas.

Parfois, elle approuvait de la tête, ou disait non, quand il lui parlait du travail à faire, ou des choses à décider.

Mais autrement, elle ne lui parlait plus.

Un matin que Fabien était aux champs pour les labours d'automne, et avant de sortir au soleil comme chaque jour, elle brisa tous les miroirs dans la maison, puis elle monta dans ce qui avait été la chambre de la belle Bernadette, et elle déchira les draps du lit en un accès de rage sauvage.

Puis elle alla s'étendre de nouveau au soleil, se faisant chauffer le ventre, mais en se cachant le visage sous le bras replié.

L'enfant dormait à ses côtés.

Les semaines et les mois passèrent. L'hiver vint, puis vint aussi l'autre printemps.

L'enfant croissait.

166

Maintenant, il avait un an, et il était costaud, mais flasque, ne remuant presque pas.

De la chair sans vie, de la chair sans joie.

* * *

Au hameau, on parlait de ces choses.

Parce que l'Edith ne venait jamais au village, on ne le sut que plus tard, longtemps après la naissance, pour l'enfant étrange.

Il fallut que la mère Druseau vienne à la ferme Loubron, et le voie, pour que le hameau le sache.

C'était avant la querelle entre Fabien et l'Edith. Avant qu'ils n'admettent, l'un comme l'autre, l'infirmité du petit.

Mais la mère Druseau, revenue au hameau, l'avait dit à la femme Valois, et la femme Valois le dit aux autres femmes qui étaient venues en l'échoppe, ce jour-là.

Et le soir, le petit sans yeux et sans oreilles de Fabien et de l'Edith était discuté partout dans le hameau, dans toutes les maisons, et par tous les gens.

— C'est ce qui arrive! disait la femme Lorgneau, la belle Adélie aux grands yeux, qui avait pourtant bien retroussé son jupon dans les bosquets au temps de son jeune âge.

Et elle faisait le geste des choses qui arrivent, avec les lèvres pincées, les épaules et les mains étendues à plat.

— Soit, dit la mère Druseau, mais songez qu'ils sont bonnes gens au fond.

167

— Ils refusent le mariage, dit la femme Valois. Moi, ça me suffit. On peut commettre les petits péchés. Je parle de l'amour et de la vertu légère. Mais ça, oh! alors! Vivre côte à côte ... comme ça!

— Ils sont bonnes gens, répéta la mère Druseau. Savez-vous seulement pourquoi ils vivent ainsi? Et puis, c'est Fabien! La fille a obéi, c'est tout. C'est une fille à larmes, une guignée qui n'a que du mauvais depuis son enfance, une fille à malheur, je le dis. Pourquoi que ça lui arriverait à elle?

— Elle a voulu. Je dis qu'elle a mal fait de vivre avec son homme, dit la femme Lorgneau, même à cause de l'amour, et c'est ce qui compte.

— N'empêche que voilà l'enfant, dit la mère Druseau, qui n'entend et ne voit rien. Voilà l'enfant, et il est comme ça ... Alors c'est un grand malheur ...

Cette fois, les femmes ne dirent rien, et Coudois, le forgeron, entra dans l'échoppe.

On lui raconta pour le petit de Fabien.

— Tiens! Voilà donc, hein! Mauvais. C'est mauvais de telles choses.

Il s'appuya contre le comptoir et resta songeur.

— Puis, dit-il, l'enfant est venu. Tiens! Et il était comme ça. Rapport à ce drôle d'amour qu'ils ont l'un pour l'autre ... Oh, et puis, on dit ça. Ce n'est pas toujours une punition. Il y avait Norbert-le-Croche, qui restait au grand hameau, dans la montagne. Ses deux petits, les seuls qu'ils eurent jamais, lui et sa femme, étaient aveugles. Remarquez que c'était sans raison puisque Norbert et sa Corélie avaient tous deux des yeux, et de bons yeux. Non, c'était seulement comme ça, une façon de naître aveugles ... Et à part des bons yeux, le

Norbert et sa Corélie avaient bonne âme et bonne vie... A savoir comment ces choses-là arrivent, les enfants aveugles, ou les enfants sans gestes...

Il resta pensif un bon moment.

Les femmes dans l'échoppe ne dirent rien.

L'Adélie de Lorgneau jouait avec son tablier.

La femme Valois était rouge.

Seule la mère Druseau souriait.

Car Coudois est un sage, et on respecte, au hameau, toutes ses opinions.

Quand Coudois sortit, elles parlèrent de tout autre chose.

* * *

A la ferme Loubron, les mois s'écoulèrent.

Jusqu'au printemps suivant, jusqu'au bel été neuf, jusqu'aux jours plus chauds et jusqu'aux grands soleils.

La vie se vécut.

La vie pleine et pensante de Fabien.

La vie de silence de la fille Edith.

Et la vie, qui n'en était point une, du petit au regard vide.

XVII

Quand Fabien redescendit des coteaux, ce soir-là, il sentait le bois brûlé et la mousse. Il avait halé des souches à pleine journée, dans les abattis et le foin humide.

L'herbe gluante lui collait encore aux semelles. Autour de la chaussure, il y avait une couronne de boue.

Il traversa le plateau de la Gueuse, et arriva derrière l'étable, qu'il devrait contourner pour entrer dans la maison.

Il s'arrêta un moment et regarda le jour tombant.

— C'est de l'air bleu, c'est de la terre chaude. Je bois du soir avant d'avoir fini d'avaler le jour. J'ai faim d'air noir et faim de viande. Faim de soupe, de femme et de maison ...

Il répéta les mots, plus bas.

— Faim de soupe, de femme ...

Il s'arrêta en parlant de la femme, et il eut un rictus.

Edith à la maison, demeurait-elle un femme?

Il y avait eu cette querelle. Une première querelle, mais elle était grave.

Et maintenant, il fallait que lui, Fabien, lui dise encore des mots durs.

Car maintenant, c'était la fourche des chemins, comme au temps de Bernadette, comme au temps des choses à décider.

En virant les talons, il prit un pas solide, et s'achemina dans le sentier vers la maison.

Il trouva l'Edith couchée dans l'herbe comme toujours, le petit immobile à ses côtés.

Même en l'entendant venir, elle ne bougea pas, n'enleva pas son bras de devant ses yeux.

Il se tint debout devant elle et poussa doucement du pied contre la hanche maigre et osseuse.

Elle enleva son bras, et le regarda avec les yeux vagues, les lèvres dures.

— Qu'as-tu fait? dit-il. As-tu cuit du pain, et cuit de la viande?

Elle se releva, resta assise, regardant l'herbe.

— J'ai bu du soleil, dit-elle d'une voix morne. J'ai bu du soleil comme tu as bu de l'air. Je l'ai bu sans bouger. Une brebis qui tète du lait chaud. Le ciel est un sein. Couchée sur le dos, on tète le grand sein large. Le lait est chaud et fait du bien. Des gorgées de lait soleil.

Elle secoua la tête, mit ses deux mains à plat sur le gazon, derrière elle.

Ses épaules maigres firent une pointe de chaque côté de la tête.

— Il y a du lard dans la huche, dit-elle, avec le pain. Tranche le pain, apporte le lard ici, devant le seuil. Nous mangerons dehors, en regardant venir la nuit. La nuit est le beau temps de toutes les heures. Durant la nuit on ne voit plus les yeux des gens.

— J'avais cru trouver de la soupe chaude, dit Fabien, sans élever la voix. Aujourd'hui, les souches étaient au fond du sol, bien ancrées. Il m'a fallu tirer. J'avais cru trouver de la soupe chaude.

172

Pour la première fois depuis des mois, Edith parlait à Fabien, mais l'homme ne fit mine de rien. Debout devant la fille, il ressentait la joie de ses mots, mais gardait le visage fermé qu'il avait pour elle depuis la querelle.

Elle eut un geste brusque de la tête.

— Quand tu parles, s'écria-t-elle, tu dis: Je crois. Tu crois à tout, en tout, tu crois toujours. Tu as cru vivre. Tu as cru faire pour que je t'aime. Tu as surtout cru en ta force. Muscles sous la peau, et pensées de muscles.

Elle montra son corps.

— Fort contre moi, à pleines saoulées de ta vie chaude. Cela devait me retenir, me lier à toi. La chair. Tes muscles forts. Et tes pensées de muscles, je te l'ai dit. En forme de volonté. Il manquait l'âme et le cœur. Des actes, des gestes, mais il manquait le cœur, l'âme, le désir au cœur et à l'âme. Je te parle d'amour. Sais-tu ce que c'est? Est-ce que c'est tout juste le frottement des chairs? Songe un peu, songe au beau sentiment. Est-ce que tu en ris?

Il ne dit rien.

— Tu pourrais rire, Fabien, cela est de ton essence. Un beau sentiment? Les tiens sont faits d'enlacements et de mort. Je te dis qu'il manquait l'âme. Comme la nuit qui est belle, mais moins belle que le jour. Le jour il y a le soleil. C'est pourquoi on le nomme le jour, parce qu'il y a le soleil. Et c'est pourquoi tout cesse de vivre la nuit, puisque la nuit, il n'y a pas de soleil. Le soleil, donc, qui est l'âme du jour ... Et le beau sentiment, celui que tu ne

173

connais pas, qui est l'âme de l'amour ... Tu vois? Est-ce que je dis des choses neuves?

Il baissa la tête devant elle.

— Songe à ceci, Fabien, que l'âme et le cœur, le beau sentiment, ce qui est en ton dedans comme une machine qui grouille et pompe et force, c'est le grand de la vie. Mais tu n'as pas cette machine dedans. Tu n'as que des entrailles, et de la peau lisse, du sang. Il faut l'âme. Il faut aimer. Aimer comme je te le dis. Alors c'est deux qui aiment. Toi. Et sachant que tu m'aimes, il arrive que j'aime aussi. Alors moi, alors toi. Toi et moi. Tu vois que c'est bien deux. Voilà la condition. Comme le ciel et le soleil pour faire le jour. Rivés l'un à l'autre, une condition. Bleu du ciel et l'or du soleil, l'un sur l'autre. Et c'est ainsi qu'est l'amour, toi devant moi. Tu n'es jamais devant moi. Des gestes, l'étreinte ... pas d'amour.

Elle se tut subitement, et Fabien se passa la main devant les yeux.

Puis il dit:

— Je t'ai prise sans robe. Une jupe de bure noire. De la bure, le tissu des pauvres, la fausse peau de ceux qui n'ont que la peau. Une jupe et une chemise qui avaient été jetées comme finies par la Bernadette. Je t'ai prise, et je t'ai gardée en cette maison. Je ne reproche rien. Tout a été fait pour toi. Le crime, et l'achat de cette ferme. Tout a été fait pour toi.

— Pour toi aussi! cria-t-elle.

Fabien s'accroupit devant Edith.

Calmement, il dit, comme si cela expliquait tout:

— Le souper n'est pas sur la table.

174

Edith répéta après lui, les yeux soudain hagards.

— Le souper n'est pas sur la table.

— C'est ce que je disais, continua Fabien, alors va le faire! Va le mettre sur la table.

Elle hurla en montrant la porte basse ouvrant sur la cuisine noire:

— Va le faire, toi! Vas-y! Moi, je n'y vais pas.

Fabien se releva et eut un ricanement.

— C'est le petit qui te met ainsi? railla-t-il.

Mais elle cria:

— Non!

Fabien reprit, la voix soudain cruelle:

— Le petit qui ne marche pas, qui ne parle pas? Le petit qui sera toujours ainsi, toute sa vie? Sans voir et sans entendre? Sans parler, sans comprendre? Vraiment l'enfant de l'animal est mieux, puisqu'il court et apprend à tuer pour vivre, comme moi j'ai appris à tuer ... pour vivre. Celui-ci n'apprendra jamais, même à tuer, même à vivre. Celui-ci est ton petit, ce que tu as fait. Tu parles d'âme et de gorgées de soleil; tu parles de jour et de nuit, et de ce qui n'est point en moi! Mais le petit, lui, il était en toi!

Edith chantonna doucement, comme folle, et elle caressa le ventre nu de l'enfant.

— Il dort, dit-elle doucement.

— Il dort? cria Fabien, mais qui te dit qu'il dort? Il n'est rien. Des bras, des jambes, un corps ... Comment sais-tu qu'il dort?

Edith pleurait maintenant.

Sans soubresauts.

On lui voyait seulement deux larmes qui coulaient le long des joues creuses.

— Il y a des sapins qui viennent ainsi dans la forêt, dit Fabien à mi-voix. Tu ne les as jamais vus? Ils sont minces et rabougris et les aiguilles sont jaunes. On dirait qu'ils ne savent pas boire la vie à travers l'air et le jour. Ils poussent près des grands arbres et ils n'ont que la vie sans l'effort de vivre, et la sève sans savoir où ils la prennent. Ils ne se doutent pas qu'elle vient du gras sol et des sources plus haut, qu'elle leur court sous la peau et noie le beau bois.

Il alla s'asseoir près du petit et le regarda.

C'était presque la nuit.

Devant la maison, il restait un peu de lumière, car rien n'arrêtait le rouge et le bleu du couchant par-dessus les crêtes.

Devant la grange, où les murs et les toits jetaient l'ombre, c'était noir.

On entendait le cri des poules dans le poulailler.

Très, très loin il y avait des mugissements vagues d'animaux aux pâturages.

— Un jour, continua Fabien, il y a un arbre qui tombe. C'est le vent ou ma hache, ou seulement la vieillesse qui tue chez les arbres comme en nous. Quand l'arbre tombe, il écrase le faux sapin aux aiguilles jaunes. Alors il n'est plus, le faux sapin, il meurt pour de bon, et la forêt respire mieux, puisque le faux sapin buvait de l'air qui serait allé aux plus grands et plus forts, à ceux qui méritent de vivre . . .

Edith gémit.

— Ne méritent donc que les forts?

Mais Fabien secoua la tête d'un air impatient.

— Tu n'écoutes que la fin sans croire à ce qui vient avant. Je te dis des choses et ta remarque tient de la fin de ces choses, qui n'est point l'important, le grand-penser, l'agissant. Tu ne comprends pas que le petit fait de toi, né de toi, issu de ta peau et de ton cœur n'est pas le petit qu'il faut à des besogneux qui suent chaque tranche de pain et halètent pour gagner le lard et les lentilles à soupe? Et puis, il est sans joie . . .

Edith était debout devant Fabien.

Sa poitrine se soulevait en un rythme convulsif.

Un effroi se lisait en ses yeux.

— Tu veux quelque chose, dit-elle, tu veux quelque chose! Tu as un acte dans la pensée. Un acte que tu vas faire . . . Que vas-tu faire, Fabien?

Il baissa la tête.

— Disons que c'est la semence, murmura-t-il.

Mais Edith hochait la tête de droite à gauche, comme pour mieux comprendre . . .

— Disons que c'est la semence, et que c'est aussi toi, continua Fabien. Crois-tu donc que je ne souffre pas? Alors si le blâme est pour nous, crois à une chose. Qu'avons-nous donné à ce petit? Il n'a rien. Il est sans joie. Nous tenons son bonheur dans nos mains, comme ça. Voici le geste.

Il avait arrondi les mains, il les tenait en un geste d'étrangler.

Soudain Edith comprit.

— Non! hurla-t-elle.

— C'est comme pour le faux sapin qui a besoin de mourir pour savoir vivre! Nous avons donné le malheur à ce petit. Est-ce que ce serait mal de lui donner le bonheur maintenant?

Mais elle s'était agrippée à son homme, et elle pleurait en criant, et elle hurlait des mots qu'il ne comprenait pas.

Alors il la repoussa, et dit d'une voix entre les dents, au son mordu, à l'accent rageur:

— Je vais tuer le petit.

Puis il entra dans la cuisine, en ressortit aussitôt et s'en fut à l'étable.

Edith bondit sur l'enfant toujours sur le gazon, et elle s'enfuit avec lui, dans la maison, dans la chambre.

Elle referma la porte et poussa le verrou.

Toute la nuit elle veilla, assise sur le lit, à côté du petit, attendant farouchement.

Mais Fabien ne rentra pas.

Il était allé dormir dans le foin de la grange et il ne rentra pas.

XVIII

Tôt LEVÉE le matin, Edith prit l'enfant et l'emmaillota, puis elle partit vers le hameau.

Fabien était aux champs. Elle ne le voyait pas de la maison. Elle ne voyait que les champs où dormaient des moissons à faire.

Le sentier lui parut long, car elle souffrait, et l'enfant pesait dans ses bras.

Souvent elle s'arrêtait pour relever le petit, pour le mieux assujettir contre elle.

Au hameau, elle marcha droit vers la maison de la mère Druseau.

La femme était assise près de l'âtre, se berçant sans rien faire, attendant que le jour passe, et la semaine passe, et l'année, toujours près de la mort.

Elle releva la tête en entendant entrer l'Edith, et la regarda avec un sourire.

— Te voilà, la fille?

— Me voilà, mère Druseau.

Edith posa le petit sur la table.

Il ne bougea pas.

Elle alla s'asseoir sur le banc à côté, et croisa ses mains sur les genoux pointus.

Elle haletait, car la descente avait été dure.

— Je suis venue pour le petit, et pour Fabien, dit-elle au bout d'un temps.

La mère Druseau hocha la tête.

— Qu'est-ce qu'ils ont qui te mène aussi tôt au village, avec autant d'angoisse dans les yeux?

Edith se mit à trembler.

— C'est Fabien surtout. Il parle du petit. C'est Fabien!

— Il parle du petit? En menaçant?

Edith ouvrit grands les yeux.

— Qui vous l'a dit? Comment le savez-vous?

La mère Druseau se berça un peu plus fort.

— C'est une façon, dit-elle, que nous donne la vie longtemps vécue. Je suis vieille. Je vois comme je ne voyais pas auparavant. Je comprends.

— Mais il dit que c'est pour le bonheur du petit! cria Edith.

La mère Druseau arrêta de bercer la chaise.

— Dis-moi tout . . . murmura-t-elle.

Edith se pencha, les mains jointes, les muscles des bras noués, gros comme ça sous la peau.

— On dirait qu'il sourit, dit-elle, quand il revient de sa journée de travail. Il arrive et il parle de belles choses. Je ne lui réponds pas. Moi, c'est une autre raison. Parfois, Fabien chante, fredonne, il a l'air heureux. Puis, quand il se met à parler de l'enfant . . .

Elle se leva et vint s'asseoir sur le parquet de terre battue, près des jambes de la mère Druseau.

— Il lui vient la pensée du petit, et cela se lit dans ses yeux. C'est le petit que j'ai fait. Le premier et le seul. Le seul qui sera, puisque le moule a cédé et ne recevra plus, vous l'avez dit vous-même.

— Oui, j'ai dit ça.

— Alors, quand la pensée vient, mère Druseau, Fabien est comme une couleuvre. Il a des pensées de couleuvre. Il s'entortille autour de moi avec des mots. Je le sens qui me retient la vie dans les sacs d'air. Il me fouille dans le cœur comme s'il était dans le fenil, à fouiller le foin avec une fourche pour trouver la belette ou le putois. Il fouille et je souffre.

Elle leva vers la femme son grand regard malheureux.

— Le petit est anormal, continua-t-elle, mais la pierre craquelée est anormale. Le veau brun de la vache blanche est anormal, puisque le taureau était blanc aussi et sans brun dans le fond du poil. La tempête et la feuille rongée de vers sont anormales. Et l'arbre-mère aime la feuille, et le ciel-mère aime la tempête, sa fille, et la vache vêlée aime le veau même teinté de brun, et la montagne a-t-elle encore renié la pierre craquelée par le vent, la pluie, ou la bruine des mois froids? J'aime le petit que j'ai fait.

La mère Druseau posa sa main douce sur les cheveux de la fille Edith.

— Il est bien de l'aimer, dit-elle, il est bien. Porte-le en ton cœur et sous la paupière fermée. Porte-le toujours sur toi, en toi, et incruste-le dans tout et partout, de ton corps et de ton cœur. Mais comprends que Fabien puisse parler ainsi.

Elle sourit doucement, et caressa la tête de la fille.

— Il a voulu, continua-t-elle, un petit qui gazouillerait au son de la source, et rirait des oiseaux sur le vert court de l'herbe. Songe à Fabien qui pour-

181

rait bien haïr l'heure de nuit où le petit est venu, gourd et bleu, et sans vie autre que han! han! pour respirer ou pour pleurer. Rien pour vivre, ou pour aimer Fabien, cependant, rien pour montrer de l'entendement. Le petit est-il donc un petit d'homme?

Edith eut des plaintes, et elle serra si fort la main de la mère Druseau qu'il se fit des marques bleues et rouges sur la peau.

— Il est mon enfant, gémit-elle. Je l'ai fait chaque jour un peu plus, en n'espérant pas de lui des sourires et des gazouillements, mais seulement sa chair vivante, qui était de moi . . .

— Tu aurais voulu, dit la mère Druseau, qu'il fût le lien entre lui et toi!

— L'enfant? Entre moi et Fabien?

— Non, l'homme. L'homme te liant à l'enfant.

Edith se tordit les mains et ses yeux ouvrirent tout grands, immenses, comme si elle saisissait soudain la pensée de la vieille femme, comme si elle la voyait et comme si la pensée lui faisait peur . . .

— Mère Druseau! gémit-elle.

Mais la vieille femme avait le visage dur, et elle crachait les mots.

— Tu es l'animal, disait-elle, l'animal sans raison autre que ton instinct. Tu ne crois qu'en la chair. La chair pleine de sang et de muscle. Tu viens à moi en parlant de tes instincts. Qu'as-tu fait pour Fabien? Il aurait pu être le lien, je te le dis . . .

— Et le petit? Est-ce que le petit ne m'approchait pas de Fabien? cria Edith.

— Tu n'as donc pas la crainte de Dieu? Et si le petit ne peut-être un lien? Voit-il? Entend-il?

Tu n'as pas besoin de lui, mais tu as besoin de Fabien. Il fallait que Fabien serve à cette fin. Va rejoindre l'esprit de ton petit, son cœur, ce qui lui reste de l'un et de l'autre, mais prends le chemin où te guidera Fabien . . .

Edith secouait la tête . . .

— Non, je ne peux plus. Vous parlez des jours passés. J'aurais dû. C'était la seule façon. Fabien attendait. Maintenant je le sais . . .

— Tu ne songeais qu'au petit de ta chair. Tu étais mère, sans être la femme de Fabien. Tu vois comme je dis clairement les choses.

— Je le sais.

— Alors pourquoi est-il trop tard? demanda la mère Druseau. Tu peux aller vers Fabien, l'approcher de toi, marcher à travers son sentier pour aller vers ton petit, au lieu de marcher à travers le sentier de toutes les femmes, le sentier du sang donné, de la chair partagée, de la vie insufflée . . . Fabien a été la semence.

— Il m'accuse d'être de la mauvaise friche où ne pouvait donner la semence!

La mère Druseau sourit.

— La colère a dit ces mots. Maintenant, il les regrette . . .

— Je vous jure qu'il est trop tard, cria Edith, je vous le jure!

— Mais pourquoi? demanda la vieille femme.

Edith se leva.

— Il m'a fécondée. Il a été la semence. Il est le père et la cause. Il a fait ce geste-là . . . Est-ce qu'il peut le nier?

183

Elle avait un grand frisson qui lui parcourait le corps.

Dehors, il se faisait les sons du matin, mais elle ne les entendait pas.

Du soleil entrait par la porte basse. Du soleil qui cascadait de la montagne et venait s'engouffrer le long du hameau, entre les maisons, et dans les maisons . . .

Sourdement, maintenant levée devant la mère Druseau, le corps tendu et vibrant, elle dit:

— Il veut tuer le petit!

— Quoi?

— Il veut tuer le petit! cria-t-elle. Il dit que c'est la seule façon de lui donner du bonheur.

Et elle se mit à hurler, en le répétant comme une litanie:

— Il veut le tuer, il veut le tuer, il veut le tuer!

Et elle sortit en courant, ayant pris d'un geste fou le petit qui gisait sur la table.

Comme si d'avoir dit la chose à la mère Druseau avait été coupable, et elle s'enfuyait avec sa honte.

Elle courut vers la sécurité soudain prenante de la maison, là-haut sur le plateau.

Elle grimpa la pente en un souffle, se découvrant des forces encore inconnues, le fardeau dans des bras, ne se rendant pas compte de la pente, de l'effort, du chaud soleil matinal.

Quand elle arriva à la maison, elle trouva Fabien, accroupi devant l'âtre, un agnelet entre les jambes, le forçant à boire à même un biberon.

Elle s'arrêta net, et soudain se mit à suer et haleter.

Elle posa l'enfant sur le lit, dans la chambre, et revint vers la cuisine.

184

Fabien ne la regardait pas.

En gestes courts, elle entreprit de préparer le pot-au-feu, jetant pêle-mêle dans la marmite les oignons et le sel, la viande et les légumes.

— J'ai réfléchi, dit soudain Fabien.

Elle sursauta au son de la voix, mais ne dit rien.

— Jai passé toutes les heures de la nuit à réfléchir. J'ai bien songé à cette affaire . . .

Il avait mis l'agnelet sur un tas de guenilles, et il s'était levé; maintenant il était debout devant l'âtre, le dos tourné à la braise.

Edith ne dit rien.

— Soit, continua Fabien, ne parle pas. Mais je vais parler, moi. J'ai des choses à dire.

Elle se tourna soudain vers lui, le bras levé, le long couteau à viande dans la main, et elle cria:

— Tu veux tuer l'enfant!

Mais il bondit, et elle se retrouva tout à coup, après trois efforts et des injures, la main vide, désarmée, pantelante devant l'homme qui lui tordait le poignet.

— Je vais parler, dit Fabien d'une voix redevenue calme. J'ai à parler, alors tu vas écouter.

Elle resta sans bouger, soudain lasse, les jambes molles.

Au bout d'un temps elle se laissa tomber sur le banc.

— L'enfant est sans joie, dit l'homme. Je te dis, et tous se le disent. Il n'a rien dans la vie que la sensation de pouvoir remuer la jambe et le bras et dodeliner de la tête. Il crie quand il a faim, et pleure quaud tu ne lui donnes pas la tétée.

185

Il se tenait debout devant elle, la dominant, l'écrasant de sa force.

— Il est sans désirs. Sans désirs d'humain. Les désirs sont placés en rangs dans le monde de Dieu. Il les a faits pour être attachés où il fallait. Ainsi ton désir de la vie ici, de la maison et de l'âtre. Le désir de cuire le souper pour l'homme, de sentir la main de l'homme tenir la tienne.

— Tais-toi! gémit Edith.

Mais il continua, les lèvres exsangues, les yeux durs:

— Pense aux matins trempés, avec la brume de l'eau sucée par le soleil. Pense aux champs d'avoine blonds comme la fille de Benoît, qui est blonde, blonde, toute peau et tout poil. Pense à ces champs où tu aimais te coucher sur le dos et boire à pleine gueule le vent doré, doré puisqu'il avait caressé les avoines et collé de l'or à son souffle. Voilà les désirs pour l'homme qui pense et qui agit.

Il se tut un moment, puis reprit:

— Il y a aussi les désirs d'animaux. Coucher au chaud d'un creux de pente, mordre la chair vivante, déchirer la peau et le poil, courir dans les feuilles mortes et mordiller les herbes plates. Des désirs d'animaux, sans plus. La vache dont le pis gonflé fait mal, comme fait mal ton ventre aux lendemains de noces quand tu as trop mangé et trop bu, et qui meugle comme tu gémis. Désirs qui sont rangés dans le peloton des désirs d'animaux, et seulement pour eux, qui ne parlent pas et ne pensent pas, mais croient en la vie et veulent pour en manger et en boire, et se la rentrer dans le corps souple.

Il baissa la voix un peu, s'approcha encore de la fille sur le banc.

— Puis viennent les autres désirs. Ceux-là sont les désirs des arbres et des plantes, des rivières et des sources. Désirs des jours chauds, désirs de brises pour caresser et amener la jouissance du mouvement et du rythme. Vois la vague! Regarde le tronc noir du sapin! Je voudrais la brise! C'est un cri. Il n'y en a pas dans ton âme de cris pareils. Le sapin implore la brise. La voix du lac et la voix de la rivière disent la même chose. Désirs de pierres qui voudraient la caresse de la source. Désirs de la montagne pour le dévalement des eaux du printemps.

Il étendit les mains devant lui.

Edith sursauta, mais ne dit rien.

— Tu sais, Edith, quand c'est comme une sueur qui descend le flanc de la grande femme-montagne... Je la vois comme une femme, la montagne. Ventre et seins, grandes cuisses et jambes. C'est affalé sous l'œil de Dieu, qui est heureux de cette belle créature née de son souffle. Grande montagne, femme en son genre, je le dis, qui sue après le labeur du printemps, alors qu'elle a accouché de nouvelles plantes, qu'elle les a poussées à travers la neige, et par-dessus la neige. L'eau est la sueur. La montagne sue, et elle veut suer ... Voilà du désir de montagne. Voilà sa joie!

Il baissa la voix encore plus, inclina la tête, le menton sur la poitrine.

— Puis songe aux autres désirs, dit-il, songe aux désirs du petit. De notre petit. Il ne veut pas mordiller l'herbe plate, comme le renard gai. Il ne

187

veut rien. Les désirs des plantes et de la montagne, les idées des sapins qui songent, ermites maigres à la peau trouée, et qui veulent la brise. Il ne connaît pas nos jouissances à nous. Le sucre blanc et les fêtes du dimanche. Danser avec une belle fille. Lui dire: « Tiens, tu as de belles hanches. Ta famille avait du sang. Vivent donc le bon sang et la bonne santé et le vin et la danse! » Il ne dira jamais rien de tel à une fille. Tu ne le sauras jamais parti à la ville, inquiète de le savoir arrêté en chemin par un jupon trop court ou un corsage trop plein . . . Il est comme il est, sans désirs, sans joie . . . Surtout sans joie . . .

Maintenant, Fabien était retourné devant l'âtre.

D'une voix ferme, il dit:

— J'ai donc décidé de tuer le petit. Il sera plus heureux mort. Je rachèterai tout en lui donnant le bonheur . . .

Edith, en entendant les mots de Fabien, alors qu'il avait dit sa décision de tuer le petit, s'était plainte doucement, et puis rien . . .

Les épaules courbées, elle ne bougeait pas, assommée par la douleur.

Mais quand Fabien fit un pas en avant, elle se leva, se jeta contre lui et se mit à déchirer et à mordre.

Elle le repoussa jusqu'au mur, le tenant là, animée par une rage immense qui la rendait trois fois forte comme les bras pourtant puissants de l'homme.

Plus tard, il se dégagea et sortit, ne touchant pas à l'enfant, soudain effrayé par cette force rageuse qu'avait Edith.

XIX

Depuis cinq ans déjà, il était venu au hameau de Karnac un homme qui disait être d'un autre pays, et se nommer Branchois.

Il avait pris pour lui la cabane que Vaillon avait abandonnée trois ans auparavant pour s'en aller à la plaine où il croyait faire meilleure vie.

Dans cette cabane il avait mis des tables et des chaises, et un haut bahut pour les bouteilles, trois supports pour des tonneaux.

Cela était devenu un cabaret.

Une place où boire le vin piquant des raisins sauvages.

La journée faite, il y avait toujours foule au cabaret, car tous ceux du hameau allaient là, comme ils allaient durant le jour à la forge de Coudois, pour y discuter des choses de la montagne, et parler des actes commis au long du jour.

C'était une salle carrée, pas très grande, aux murs pleins de trous mal fermés, au plancher bossu, au toit qui voulait glisser d'un côté et entraîner la cabane dans une chute de la pente, jusque dans la vallée en bas.

Au fond, près du bahut et à côté des tonneaux, Branchois se tenait debout, les mains sous le tablier, attendant qu'on lui crie à boire, qu'on lui fasse signe de remplir les verres.

Autour des six tables, tous les hommes du hameau.

Certains soirs, il y avait la fille d'Etienne qui venait.

C'était lorsque son père la battait, alors elle venait boire avec les hommes, parlait comme eux, disait des choses qui faisaient rougir les hommes, pas tant à cause des mots, mais parce qu'ils étaient dits par une femme.

Ce soir-là, elle n'y était point.

On l'avait vue qui descendait à la plaine, le matin, et elle n'était pas revenue.

On sait ce qu'elle va y faire, à la plaine, avec les hommes de la brasserie, et les ouvriers qui travaillent à construire le grand pont.

Mais pourquoi s'y attarder, quand ainsi elle s'habille et donne à manger aux siens, surtout à l'Etienne, qui est paresseux et ne gagne point le lard et le sel!

Donc, ils y sont tous, excepté la fille d'Etienne, et voilà Palequin qui entre dans le cabaret.

Grand fracas de porte menée durement, de bottes sur le parquet.

C'est Palequin.

Il entre toujours ainsi.

Le pied dur et la voix haute.

Et dès la porte il crie:

— Ecoutez tous!

Car en venant du haut de la montagne, il a rencontré la mère Druseau, et comme ils s'entendent bien, lui et elle, voilà que la femme lui a raconté pour Fabien, et pour Edith, et pour le petit que Fabien veut tuer . . .

— Ecoutez tous!

Et ils écoutent.

A une lieue près, Palequin n'est pas de Karnac, mais du grand hameau de l'autre côté des crêtes.

Seulement, il a son commerce avec les gens de Karnac, à leur vendre le bois, ou du lard, ou de la moulée pour le bétail.

Il est considéré comme un d'entre eux.

— J'ai rencontré la mère Druseau, s'écrie-t-il, et elle m'a raconté des choses, ça regarde votre Fabien et sa fille laide, et le petit infirme. Et ce que j'ai entendu est mauvais. Mauvais comme de la viande faisandée. Des amertumes sur la langue, et entre les dents. Des goûts graillons et du fiel qui sort ensuite. J'avale les paroles de la mère Druseau, j'avale mes pensées de ces paroles, et c'est gluant comme de la viande pendue au chaud deux mois durant.

Et il crie de nouveau:

— Ecoutez tout! Fabien veut tuer le petit qu'il a fait avec la fille Edith. Il veut tuer en donnant comme prétexte que c'est le bonheur à donner à l'enfant, car autrement, il n'a donné que du malheur, de l'infirmité, de la vie sans joie. Fabien faire ça? Tuer le petit qui n'est point comme les autres? J'en ai plein la bouche, de ces mots-là! C'est à nous de faire quelque chose. Qui viendra empêcher le Fabien de tuer le petit?

Ils écoutaient, bouche bée, ne sachant plus que faire devant le dégoût de Palequin.

Au fond de la salle, Lorgneau grognait des blasphèmes.

Et puis, soudain, à travers la fumée et l'odeur du mauvais vin, Arel, le fils du vieux Vanais, se leva.

191

Il montra Palequin du doigt, le montra aux autres.

— C'est comme celui qui vend, dit-il. Bonjour, Madame, vous avez bonne mine, vos enfants aussi. Vous voulez cette belle étoffe, raide et de bon fond? Regardez-moi ce brin, hein qu'il est beau? Et c'est trois aunes pour . . .

Il s'interrompit, cracha par terre et eut un ricanement.

— Ah, et puis tiens, continua-t-il, quoi qu'il dise, c'est de la vente! C'est la façon de dire pour que la femme sorte les gros sous du pot fêlé et qu'elle achète. Voilà la chose à faire, pour le vendeur. Donc ainsi pour Palequin. C'est un homme qui vend. Vendeur de ses dégoûts. Il raconte une histoire sur Fabien. Or Fabien veut tuer le petit. Ce n'est pas moi qui le dis, c'est Palequin. Puis il faudrait que nous courions retenir la main de Fabien.

Palequin étendit le bras.

— Tais-toi! dit-il.

Arel ricana, mais se tut.

La voix de Palequin était forte, son bras était fort aussi. Il y avait de l'autorité dans le son.

— J'ai des nausées qui me saturent la bouche, cria Palequin. Je tiens la nouvelle de bonne source. Je ne vends rien, je vous dis ce qui est en moi. A chacun ses goûts dans l'achat. Tu as bien parlé, Arel, mais tu n'as rien dit. Qui serait acheteur d'une telle idée du père qui veut tuer son enfant? Alors pourquoi vendre? On vend ce qu'on a. Je n'ai rien. Mon dégoût ne se mesure pas. Il n'y en a pas dix aunes ou une verge. Il n'est pas à brin serré, une aune de large et voyez donc comme c'est solide à l'usage!

Il avança vers les hommes attablés, l'écoutant silencieusement.

— Tiens, continua-t-il, songez à l'homme qui va tuer l'enfant, hein? C'est un geste. Il lève le bras et abat le couteau ... Il jette l'enfant dans l'eau et le noie ... Il tire son fusil des chasses d'automne, à pleine charge dans le ventre de l'enfant. Alors le geste n'est pas beau. C'est un geste et il n'est pas beau. A y penser, l'image se fait dans le dedans, au cœur et derrière le front. L'homme au bras levé, l'enfant qui joue par terre avec la casquette de son père. L'enfant ne sait rien. Les enfants sont des ignorants. Ils ne connaissent pas la mort. Le savoir est dans la connaissance de la mort. Celui-là joue avec la casquette. Elle est tombée quand le père a posé le petit sur la pierre plate. Qui viendra?

Il avait crié ces derniers mots.

— Qui viendra? répéta-t-il, qui viendra empêcher Fabien de tuer son petit? Voulez-vous que le geste se fasse?

Ils ne bougèrent pas.

Ils restèrent là, écoutant encore les mots, malgré que Palequin ne parlait plus.

Palequin haussa les épaules.

— Ceux qui voudraient venir attendent voir ce que les autres vont faire. Mais vous ne voulez donc pas prendre vos responsabilités comme ça, à plein dos? Ceux qui ne viendraient pas, ceux qui refuseraient de venir se taisent. Vous voyez le partage? Tant d'un côté, et les autres ... Pendant ce temps,

Fabien tuera son enfant! Vous aurez été muets et cloués au sol!

Il hurla tout à coup:

— Mais venez donc!

Il y en eut quelques-uns qui se levèrent.

Lorgneau, Valois, Coudois, Boutillon, et même Arel, qui suivit en maugréant.

Alors quand on vit que Lorgneau y allait aussi, on suivit en groupe. Un groupe au visage grave, à la mine farouche.

Il y avait Fabien, là-haut, qui voulait tuer son enfant. On y allait pour empêcher l'acte...

Ils sortirent dans le couchant et se mirent à grimper le sentier.

— Doucement, dit Palequin, doucement. Il faut le surprendre, autrement il nierait tout, et nous devrons le surveiller...

Et ils allèrent doucement, en feutrant les pas, en ne disant rien, des hommes sombres dans la nuit qui allait venir, qui montait de la vallée...

XX

Après son combat avec Fabien, Edith s'était assise.

L'homme était sorti et le danger semblait passé, alors elle s'était assise, infiniment lasse, lasse de tout, lasse jusque dans l'âme.

Elle ne pleurait pas, elle ne gémissait pas. Peut-être qu'elle ne pensait pas non plus.

Elle entendit du bruit dehors, dans le sentier que le couchant éclairait de ses nuances magnifiques.

Mais elle ne prit pas garde au bruit.

Et tout à coup quand Fabien entra, qu'il courut vers la chambre et s'empara du petit, elle n'eut que le temps de se lever, de se jeter devant la porte.

— Fabien! hurla-t-elle, où vas-tu avec l'enfant?

— Je vais à la fontaine. Je vais à la source, au rocher noir.

C'était derrière une des remises, à trois cents pas de la maison.

— Non!

— Je vais à la source.

— Fabien, ne va pas là!

Il avança sur elle, la main tendue pour la repousser, l'autre bras enserrant le petit.

Elle se mit à parler très vite, les cheveux dans le visage, les lèvres nerveuses.

195

— Vas-y, Fabien, puisque tu le veux. Vas-y, mais vas-y seul. Vas-y les bras vides. Je ne dirai rien.

Elle divaguait.

— Il fera nuit dans dix minutes. Tu peux tomber. Il y a des putois. N'y va pas, Fabien. Laisse le petit ici. Va ailleurs. Va chez Branchois, Fabien. Tiens, prends tous les sous dans le pot de grès et va chez Branchois jusqu'à demain!

Fabien tint plus serré l'enfant contre lui.

Puis il se mit à parler, doucement, sans regarder Edith.

— La vallée est noire. Déjà noire. Il y a un peu de la nuit qui est tombée dans la vallée...

Il soupira, et regarda la fille laide.

— Ne pleure pas, Edith. Ne pleure pas. La nuit est tombée dans la vallée, parce que c'est le commencement, le plus complet va venir. Une espèce de début pour la mort. Pour la nuit... pour la mort... Parfois, il faut dire des mots avec le sourire.

Il s'accroupit par terre devant la fille, et tint le petit entre ses jambes, l'enserrant de ses bras aussi.

— Crois-tu donc, Edith, dit-il, que je sois si mauvais que je ne souffre point? Je le fais pour lui, pour toi et pour moi. Pour lui, car ce sera son beau temps. Il est dit que même eux, même les sans-yeux et les sans-idées, seront gardés au chaud, aimés et choyés, dans le pays de Dieu. Ainsi ce sera sa vraie vie, puisque celle-ci ne l'est pas. Il vivra. Je lui donne la vie. Ce que je lui ai donné auparavant n'était pas la vie. La vie de souffle, et de pensées aussi. Il n'a rien, je ne lui ai rien donné autrefois, je le lui donne aujourd'hui, ce qu'il aurait dû avoir. Est-ce donc si mal? A toi qui le portes sur la hanche, qu'elle est toute bossue et meurtrie du fardeau, à toi qui le nourris et le nettoies, le mets beau sans qu'il le sache, à toi je donne l'épaule libre, la hanche libre, la liberté des heures et des jours.

— Je n'en veux point! cria Edith, debout devant la porte, barrant le chemin.

Mais Fabien secoua la tête avec un sourire triste.

— Si, tu en veux, mais tu ne le sais pas encore. On donne ce qu'on a. J'ai soudain ce pouvoir de tout lui donner, de tout te donner. Et moi je souffrirai de ce don. Ce don, la façon dont il sera accompli, sera mon sacrifice. Il est mon enfant à moi, comme à toi. Il est de ta chair, une partie qui s'est détachée du reste. Tu jouis en lui comme tu souffres en lui. Mais à moi il est quelque chose aussi. Un espoir d'abord. Une vision. Un brin de rêve.

Edith ricana.

— Quels rêves as-tu jamais faits, Fabien?

— Je le voyais qui montait en toi. C'était un beau rêve. Tu sais quel a été l'instant d'après, alors que le rêve est devenu . . . cet enfant . . .?

— Il est notre petit, comme il l'était alors!

Fabien se leva, l'enfant toujours serré contre lui.

— Demain, dit-il, demain, Edith, il fera soleil. Je te jure que ce sera un jour à bonnes brises . . .

Mais Edith serra les dents, et elle cracha ses mots à la face de Fabien.

— Et moi, Fabien, je te jure que si tu vas tuer cet enfant, je te tuerai aussi! . . .

Alors Fabien mit doucement l'enfant par terre, fit deux pas et étendit son bras comme un fouet.

Edith alla voler sur le parquet, les lèvres fendues par le coup de poing.

Etourdie par le coup, elle se roula par terre, essaya de se relever. Elle gémissait comme une bête blessée, et des blasphères lui coulaient des lèvres.

Fabien reprit l'enfant, sortit, courut vers la source . . .

Il courut sans regarder derrière lui, contourna la grange, puis la remise. Quand il fut devant le bouquet de sapins derrière la remise, il s'arrêta, et se retourna.

Mais le sentier était désert.

Et il n'entendit venir personne.

Il attendit, immobile, le corps silencieux, ne faisant aucun geste pour mieux comprendre les sons de la montagne.

Quand il se sut bien seul, il marcha lentement vers la source, murmurant des mots à l'oreille du petit qui bâillait dans ses bras, inerte et sans combat: une loque.

— Viens, dit-il, viens mon petiot. La mort sera douce pour toi . . . Viens . . .

La source apparut sous un buisson, claire et limpide, un petit étang où nageaient quelques poissons qui partaient ensuite dans le ruisseau allant se jeter dans la Gueuse, allant rejoindre ainsi la grande vie.

— Tu ne vois pas la source, dit Fabien à l'enfant aux yeux morts. Celui qui est derrière le monde, à mencr la grande machine, a oublié de te donner des yeux pour la voir, cette source. C'est dommage.

Il y a du couchant noyé dans l'eau. C'est rouge et rose. L'eau est limpide. Elle aurait des milles de profond, et on verrait nager la truite.

Ils étaient sur le bord, l'homme et l'enfant, et Fabien tenait le petit sur ses bras étendus, lui parlant tout contre la bouche, essayant de lui entrer par ce moyen les mots dans l'esprit.

Mais l'effort était en vain.

— C'est la mort... continua Fabien. Je dis la mort. On dit un mot qu'on a appris en tétant le lait. Vie, mort, plaisir, douleur. On dit les mots et on ne sait plus trop bien ce qu'ils veulent dire. Pour toi, la mort est la vie. Edith, qui est ta mère, et qui t'a fait, elle ne sait pas comme je souffre.

Il resta longtemps devant la source, debout ainsi, tenant l'enfant.

Il ne parlait plus.

Puis il se remit à murmurer, très vite:

— Alors il n'y a que sa chair en toi, il n'y a que la chair de ta mère? Et si c'était ainsi, est-ce que je souffrirais moi aussi? Est-ce que j'aurais cette hésitation du geste? Demain tu ne seras plus sur la grande chaise. Demain, la grande chaise sera vide... Non! non! elle ne sera pas vide. J'y serai assis, moi. Nous serons l'un avec l'autre, ce qui restera de toi, le souvenir, et moi. L'un dans l'autre sur la chaise où tu étais toujours... Te haïr, moi? Te haïr parce que tu es ce que tu es? Allons donc!

Il s'agenouilla, posa les pieds de l'enfant sur la berge de sable doux, près de l'eau.

— Tu auras une mort douce, petit...

Il poussait sur le corps de l'enfant, poussait les pieds vers l'eau. Maintenant, les talons allaient rejoindre la surface, allaient se baigner dans le fluide froid.

L'enfant se raidit.

— Je te dis que ce sera une mort douce, petit. Mourir comme ça serait un bonheur. Pour toi ce sera un bonheur. Avant, après. Tellement mieux que la mort sur les pentes. Le tronc d'arbre qui vient vous fracasser, l'avalanche de pierres ... J'ai songé à cette mort ...

Il caressa doucement la tête du petit dont les pieds étaient dans l'eau.

Un hibou fit son chant, et Fabien entendit, tout en bas, et loin, comme des bruits de voix.

C'étaient les gens du hameau qui venaient ...

— Tu es blond, dit Fabien, tu as les cheveux blonds. Je n'avais jamais vu comment ils étaient blonds. Et ta bouche est large. Belle et large. Une bouche à boire de la vie. Une bouche vaillante ... Tu aurais pu goûter aux bons mets des soirs de fête.

Il eut un sanglot et ramenant l'enfant, il le serra fort contre lui.

— Si seulement, gémit-il, tu n'avais pas été ce que tu es ...

Mais il se reprit et poussa l'enfant plus avant dans l'eau. Jusqu'aux genoux.

— Le moment est venu, petit. Il fait presque nuit. Tu rejoindras la nuit bleue par notre nuit à nous, qui sera noire ce soir. A savoir si tu sauras reconnaître l'une de l'autre. Je te le souhaite. Ne frémis pas ainsi, l'enfant. Ne résiste pas. L'eau est froide, je le sais, mais il ne faut pas résister.

L'enfant avait peur de l'eau, et il essayait de son corps sans force de se débattre, de ne plus laisser cette eau monter, cette eau qui montait et grimpait, qui rejoignait les genoux et ensuite les cuisses, qui le mouillait jusqu'au ventre, à mesure que Fabien le descendait, le poussait vers le fond, vers la mort.

Et l'homme murmurait toujours ses paroles, en rythme doux, comme une berceuse, comme si l'enfant l'entendait, le comprenait.

Il avait des sanglots dans la voix, et deux grosses larmes lui coulaient sur les joues.

— Ton cou rose et potelé, martelait-il entre ses dents tout à coup. Ton cou rose et potelé, et toute ta peau fine et duveteuse. Il y a une fossette dans ton cou. Je ne l'avais jamais vue . . . Tout le corps, et puis voilà, maintenant, la tête. C'est mon adieu, petit, c'est mon adieu.

Alors, la voix lui brisa, et il se mit à chantonner, avec des sons qui n'étaient plus du chant, mais des pleurs . . .

— Fais dodo, l'enfant do! Fais dodo, l'enfant dormira bientôt . . .

La bouche du petit était sous l'eau, et il se débattait, il jetait ses bras vers le ciel, et il secouait ses jambes.

Il combattait la mort qui entrait en lui par cette bouche grande ouverte, buvant l'eau de la source.

Et tout à coup Fabien poussa un grand cri, et il se redressa, tenant toujours l'enfant, et il hurla, mot après cri, à faire reculer la montagne:

— Non!

Et il mit l'enfant par terre et enleva sa vareuse, avec laquelle il enveloppa le corps trempé, et en une course folle il revint vers la maison.

Et en courant, il criait:

— Viens! Petit! Viens, la chaleur t'attend! Ne souffre plus!

Dans la grande cuisine, il trouva Edith qui geignait, assise par terre, se tenant la poitrine, impuissante devant la douleur.

Et quand elle le vit qui entrait, tenant l'enfant, elle bondit, ses yeux soudain fiévreux, et elle arracha le petit des bras de son homme, et elle alla le porter devant le feu, à la chaleur, en l'enveloppant de ce qu'elle put trouver là qui fût chaud.

Elle pleurait et elle criait, et elle demandait à Fabien:

— Tu l'as ramené? Tu as ramené le petit! Tu ne l'as pas tué?

Et Fabien pleurait aussi, mais il restait devant la porte, n'osant plus approcher de la fille qui emmaillotait le petit, qui le berçait, et lui fredonnait des chansons devant l'âtre.

Puis déposant l'enfant, elle revint devant lui, un grand sourire sur les lèvres, ses yeux cherchant dans ceux de l'homme la vraie raison du retour.

— J'ai songé, dit Fabien, en baissant la tête, à tout ceci . . .

Mais il se reprit:

— Non, je n'ai songé à rien . . . Ç'a été comme ça, un coup de fouet. Je n'étais pas capable. Quand il a fallu que ce soit la mort . . . alors je n'ai plus été capable . . .

— Tu l'aimes, ce petit, Fabien? Tu l'aimes donc?

Il inclina la tête.

— C'est à croire.

Edith fit deux pas, pour se jeter dans les bras de l'homme.

Mais il se fit des bruits de voix dehors, et des coups retentirent contre la porte.

— Qui va là? dit Fabien.

— C'est moi, Palequin, je veux te parler.

Fabien ouvrit l'huis et les hommes du hameau restèrent devant l'embrasure, regardant par-dessus et au-delà de Fabien.

— Que cherchez-vous? demanda-t-il.

— C'est que . . . dit Palequin. C'est que . . .

Alors le grand Lorgneau s'avança.

— Il y en avait, au hameau, dit-il, qui disaient ces choses . . . Comme par exemple au sujet de Fabien qui aurait voulu — pour le bien s'entend — tuer son petit, à cause qu'il est infirme . . . Nous sommes venus . . .

Il laissait traîner les mots en longueur.

Il ne savait plus trop bien quoi dire devant le regard d'Edith et de Fabien.

— Vous cherchez le petit? dit Edith. Il est là, sur le banc, emmailloté pour la nuit . . .

— C'est ce qui a été dit, ajouta-t-il d'une voix encore moins certaine.

Edith sourit.

— Fabien ne ferait pas ça. Je suis certaine que Fabien ne ferait jamais ça. On vous a raconté des histoires . . .

— C'est vous, l'Edith, qui auriez dit ça, corrigea Valois.

Mais Edith secoua la tête.

— J'étais fiévreuse, et malade . . . On dit alors bien des choses . . . Mais je suis certaine que Fabien n'aurait jamais tué le petit . . .

Et Fabien, qui s'était appuyé sur la table, et qui se roulait une cigarette, dit calmement en mouillant le papier et en regardant par-dessus, dans les yeux de chacun des hommes du hameau:

— Je n'y aurais pas songé, voyez-vous. Il y a notre vie sans mariage qui est une faute. Autre chose aussi peut-être ... Nous méritons, c'est sûr, le petit que nous avons. C'est à Dieu de savoir ça. Pas à nous. Et ce petit mérite bien ... parce que c'est tout de même pas sa faute si les choses sont arrivées ... il mérite bien qu'on prenne soin de lui. Alors, vous comprenez que tuer le petit, ça devient impossible, quand on songe à ça. Même si on sait que le tuer serait son bonheur.

Et il ne se tourna pas vers Edith, mais il sentit bien que la fille le regardait, et il rougit parce qu'il devinait comment elle le regardait.

— Allez, dit-il, entrez tous! Je vous paie le cidre. Du vieux cidre. Du meilleur. C'est un jour pour boire le plus vieux cidre que l'on a ... Un jour rare, moi je vous le dis.

FIN

Essai sur l'hindouisme, essai
(présentation de Jean Tétreau).
Le Corps vêtu de mots, essai
(présentation de Jean Tétreau).
Gratien Gélinas
Tit-Coq, pièce en trois actes
(présentation de Laurent Mailhot).
Claude Jasmin
Et puis tout est silence, roman
(présentation de Gilles Marcotte).
Albert Laberge
La Scouine, roman.
Yves Thériault
Aaron, roman
(postface de Laurent Mailhot).
Agaguk, roman.
Le Dompteur d'ours, roman.
La Fille laide, roman.
Les Vendeurs du Temple, roman.
Pierre Turgeon
Faire sa mort comme faire l'amour, roman
(présentation de Réjean Beaudoin).
Un, deux, trois, roman
(présentation de Réjean Beaudoin).
Prochainement sur cet écran, roman
(présentation de Réjean Beaudoin).

Achevé d'imprimer sur les presses de
L'IMPRIMERIE ELECTRA*
*Division de l'A.D.P. Inc.

Imprimé au Canada/Printed in Canada